DIEU

DUCTION

Série « Une introduction »

Ouvrages publiés sous la direction de Hugues Jallon

À paraître

Jean-Claude Poizat
HANNAH ARENDT, UNE INTRODUCTION

Arnaud Bouaniche
GILLES DELEUZE, UNE INTRODUCTION

Stéphane Haber
JURGEN HABERMAS, UNE INTRODUCTION

Marc Armengaud
MERLEAU-PONTY, UNE INTRODUCTION

Bertrand Guillaume
JOHN RAWLS, UNE INTRODUCTION

AGORA

Collection dirigée par François Laurent

PIERRE MOUNIER

PIERRE BOURDIEU
UNE INTRODUCTION

POCKET/LA DÉCOUVERTE

ISBN : 2-266-10275-3

À Christine et Esther

INTRODUCTION

Pierre Bourdieu est apparu sur le devant de la scène médiatique et politique à l'occasion des grèves de décembre 1995. Depuis ces événements, dont il contribua à orchestrer le retentissement dans le débat intellectuel français, sa réputation n'a cessé de croître. Le succès des petits essais polémiques publiés aux éditions Liber/Raisons d'agir, les siens, *Sur la télévision*, *Contre-feux*, mais aussi ceux de ses « fidèles », *Les Nouveaux Chiens de garde* de Serge Halimi, *Le « Décembre » des intellectuels français*, n'ont fait qu'amplifier l'importance du sociologue dans le champ intellectuel et politique. Mais celui qui est aujourd'hui dénoncé comme le nouveau « gourou » de la gauche radicale, chef d'une secte intransigeante et pugnace, est aussi sociologue, on l'oublie quelquefois, depuis plus de quarante ans. *Le Sens pratique*, *La Reproduction*, *La Distinction*, parmi tant d'autres, marquent les étapes d'une brillante carrière académique qui a conduit le normalien agrégé de philosophie de l'université d'Alger dans les années soixante au Collège de France où il occupe la chaire de sociologie depuis

1981. Alors, faut-il parler de deux Bourdieu, le théoricien de la sociologie d'une part, et le pamphlétaire virulent de l'autre, pourfendeur du néo-libéralisme et des médias ? C'est en tout cas l'opinion commune qui circule à son propos, suivant cette idée courante que Bourdieu est aussi mauvais politique qu'il est bon sociologue.

Les choses ne sont pas si simples. Car un examen de près de quarante ans de production sociologique, comme celui qui va suivre, montre au contraire que la dimension politique, même si elle ne prend pas nécessairement la forme d'un « engagement » direct, ne fut jamais absente de sa sociologie. Contrairement aux apparences, l'engagement politique de Pierre Bourdieu ne date pas de décembre 1995, mais est présent tout au long de sa production, même si c'est de manière changeante. On rappellera donc d'abord à ceux qui seraient tentés de voir dans les grèves de 1995 une rupture radicale dans l'engagement politique bourdieusien que *La Misère du monde*, publiée en 1993, prépare cette rupture dans la mesure où elle rend compte de manière beaucoup plus marquée de la subjectivité des agents dans les rapports de domination, et que, l'année précédente, le sociologue clôturait son analyse du champ littéraire, *Les Règles de l'art*, par un texte intitulé « pour un corporatisme de l'universel » appelant les intellectuels à jouer à nouveau le rôle de contre-pouvoir qui devrait être le leur, et qu'ils n'exercent plus. La dimension critique que Pierre Bourdieu attribue donc volontiers à la sociologie est présente dans son œuvre depuis ses travaux sur la Kabylie jusqu'à son analyse des structures sociales de l'économie, ce qui explique et justifie à ses yeux le parfum de polémique qui lui est attaché.

« La sociologie est, dès l'origine, dans son origine même, une science ambiguë, double, masquée ; qui a dû se faire oublier, se nier, se renier comme science politique pour se faire accepter comme science universitaire[1]. » L'œuvre et la démarche sociologiques de Pierre Bourdieu ne sont compréhensibles que par rapport à cette volonté affirmée et affichée par le sociologue de restituer à la sociologie sa dimension politique, c'est-à-dire en l'occurrence de lui donner pour objet le pouvoir. La sociologie bourdieusienne s'est en effet construite autour d'un objectif de dévoilement et d'analyse des rapports de force et des mécanismes de domination qui s'établissent dans le corps social, projet effectivement ambigu dans la mesure où la production résultant de l'observation sociologique modifie considérablement l'objet de cette observation. L'ambiguïté de la sociologie se redouble donc au niveau du sociologue qui, dévoilant les mécanismes et les réalités de la domination au sein du corps social, les « dénonce » aussi, même si ce n'est pas son premier objectif, et, ce faisant, ne peut être inconscient de la portée politique de son travail : la domination n'est pleinement efficace que lorsqu'elle est cachée, invisible aux yeux des dominés. Lui-même acteur du champ qu'il observe, le sociologue fournit un travail susceptible d'analyse sociologique qui tient au simple fait que la sociologie est une science où observateur et observé appartiennent au même ordre naturel. Si, pour Bourdieu, aucune sociologie n'est possible sans une sociologie de la sociologie et par extension des intellectuels, c'est que, dès les débuts de son travail, il s'est interrogé sur les conditions de possibilité de la scientificité d'une telle discipline. Cette interrogation, qui va au-delà de la question wébérienne de la neutralité axiologique, évoluera au cours du temps ; elle est insé-

1. Pierre Bourdieu, *Questions de sociologie,* Minuit, Paris, 1980, p. 48.

parable de la question de l'engagement politique du sociologue.

Bourdieu dérange ; il agace ; et, bien sûr, il en est ravi, car c'est pour lui le signe de la pertinence de ses analyses. Bourdieu est aussi mal compris car les polémiques qui naissent à son propos reposent souvent sur des malentendus. Pur produit de l'« école républicaine », une partie importante de ses travaux sur le système scolaire dénonce des mécanismes de reproduction sociale dont il est le plus parfait contre-exemple. Lorsqu'il met en lumière la détermination des goûts individuels, singulièrement en matière d'art, par des structures de champ, on lui reproche d'être « déterministe » et de nier la liberté individuelle. Plus récemment, ses analyses critiques sur le journalisme sont lues comme des attaques *ad hominem* contre les journalistes[2], et ainsi de suite *ad libitum*. Peu importe en somme qu'il se soit expliqué à de nombreuses reprises sur ces questions, chaque explication étant prétexte à de nouvelles polémiques renaissant sans cesse. Si Bourdieu dérange, ce n'est pas seulement dû à un comportement personnel aux antipodes des mondanités habituelles aux milieux universitaire et intellectuel, mais aussi parce que son travail sociologique repose sur des présupposés anthropologiques désagréables. C'est à dessein qu'on emploie cet adjectif pour qualifier l'anthropologie bourdieusienne. Car on ne peut qu'être étonné de la dimension passionnelle que soulève cette œuvre, y compris dans les milieux académiques manifestant habituellement plus de componction dans les débats qui les animent. C'est que les critiques théoriques qui lui sont adressées se doublent souvent

2. Pierre Bourdieu, « Questions sur un quiproquo », *Le Monde diplomatique,* février 1998.

d'une « résistance[3] » personnelle de leur auteur, ce qui n'invalide en rien la portée des premières. Quoi qu'il en soit, il est clair que le lecteur de Bourdieu se sent immanquablement concerné par ce qu'il lit – *De te fabula narratur* –, et c'est suffisamment rare parmi les théories sociologiques pour être remarqué.

Que ce soit du point de vue des concepts qu'il utilise ou des thèses qu'il énonce, le travail sociologique de Pierre Bourdieu repose sur une philosophie politique désenchantée, notamment par rapport à la tradition philosophique du contrat social. Plus proche sur ce point de Marx et de Weber que de Durkheim et de Mauss, Pierre Bourdieu construit depuis le début de sa production théorique une sociologie de la domination en ce sens que les rapports entre agents aussi bien à l'intérieur des champs que de manière transversale à eux sont systématiquement analysés comme des rapports de domination. Analysant l'action individuelle et collective en termes de stratégie, d'intérêt et d'accumulation de capital, il montre comment les rapports sociaux s'établissent sur la base d'une distribution inégale de pouvoirs, économiques, mais aussi symboliques et politiques. Bourdieu ne se pose donc ni la question de l'intégration de l'individu dans un corps social hypostasié, ni de la réciprocité entre égaux, ni même de la légitimité du contrat social. Ce qu'il tente de dévoiler, ce sont les effets, les conditions de possibilité, les modalités d'effectuation d'une domination – ou plutôt de dominations – universellement répandue dans tous les domaines de la vie sociale.

C'est donc avec raison qu'on a pu qualifier la socio-

3. Le terme est de Bourdieu : il tient à la fois de la résistance sociologique et du refoulement freudien.

logie bourdieusienne d'« agonistique[4] », à condition d'en préciser le sens : le conflit entre agents, entre classes ou entre groupes ne se présente jamais sur le devant de la scène comme tel. Car le rapport de forces est souvent masqué aux yeux d'agents qui en sont partiellement inconscients[5]. La société bourdieusienne n'est donc évidemment pas un champ de lutte ouvert où s'affrontent au grand jour les individus. Ce que le sociologue dévoile au contraire, ce sont les stratégies qu'utilisent les dominants afin d'éviter l'affrontement tout en consolidant leur position dominante à l'intérieur du champ ou plus largement du corps social. Les notions de *doxa*, de violence symbolique, de légitimation que l'on trouve tout au long des œuvres de Bourdieu renvoient à ce travail de mystification des rapports sociaux auxquels se livrent les agents. Dans ce travail, le langage joue un rôle primordial. En bon ethnologue, Bourdieu recourt souvent à une analyse sémantique des actes de langage pour appuyer ses démonstrations, dans la mesure où le langage véhicule une représentation « indigène » du monde social et indique « ce qui va de soi », des évidences symptomatiques à la fois des rapports de force dans le champ où se trouve le locuteur, et en même temps de la mystification qui l'entoure. C'est pourquoi le travail du sociologue s'effectue dans des conditions particulières. Producteur de discours, et qui plus est d'un discours le plus souvent formulé en langage naturel, il prend le risque d'être à son tour piégé par la charge politique du langage qu'il utilise. Pour Bourdieu, il est donc important qu'il se livre à un travail préalable de réflexion sur ses propres concepts, de « rupture » avec

4. Loïc Wacquant, « Notes tardives sur le "marxisme" de Bourdieu », *Actuel Marx*, nº 20, octobre 1996, pp. 83-90.
5. Ils le connaissent et le méconnaissent à la fois.

des pré-notions qui lui enlèveraient toute capacité d'analyse.

On a peut-être là une des clés de l'obscurité légendaire de l'écriture bourdieusienne. C'est connu, Bourdieu « écrit mal », et pire encore, il écrit mal à dessein[6], trahison inacceptable au regard des canons de la belle prose à laquelle forme l'École dont il est issu[7]. Mais c'est précisément parce que la belle prose est grosse d'une « mythologie politique », d'une représentation du monde social propre à une fraction particulière de la classe dominante, que le sociologue cherche à s'en éloigner. Son travail sur le langage et du langage n'est donc pas seulement dicté par un impératif scientifique de précision sur les concepts qu'il utilise. Il est aussi une rhétorique en ce sens précis qu'il vise à produire un effet sur le lecteur. À de nombreuses reprises, Bourdieu a montré l'attention qu'il portait à ses lecteurs et singulièrement à la manière dont il était lu : ce qu'il met en œuvre, c'est une rhétorique de l'étrangeté à travers l'utilisation massive de mots issus des langues anciennes (*habitus*, *allodoxia*, *hexis*, *hysteresis*, etc.), les effets de répétition et de dérivation, une syntaxe particulière qui arrête la lecture. Manifestement, Bourdieu vise à prévenir une lecture superficielle de son travail, une lecture qui irait trop vite en quelque sorte, qui, portée par l'habitude syllogistique, manquerait l'essentiel de sa démonstration. D'une certaine manière, cette rhétorique de l'étrangeté fonctionne comme un redoublement au niveau de l'écriture

6. Pierre Bourdieu, *Questions de sociologie, op. cit.*, « Le sociologue en question », p. 37 sq.

7. *Les Méditations pascaliennes* font exception. Ce n'est pas un hasard si cet ouvrage fut l'objet d'une approbation quasi unanime par la critique.

de l'objectivation sur laquelle se fonde en partie l'analyse sociologique.

Étranger, Bourdieu l'est à plus d'un titre. Béarnais d'origine, son parcours scolaire l'amène jusqu'à l'École normale supérieure où il prépare puis passe l'agrégation de philosophie en 1955. Rapidement projeté dans un milieu majoritairement constitué d'« héritiers », Bourdieu a évoqué l'étrangeté qu'il y a ressenti, ce sentiment de ne pas être à sa place, de devoir rendre des comptes[8], plutôt qu'un « ressentiment » parfois évoqué de manière malveillante. Au lieu de poursuivre le cursus universitaire classique, il part enseigner à la faculté des sciences sociales d'Alger où il commence un travail ethnologique sur la Kabylie. Ses contributions sur l'espace symbolique de la maison kabyle, puis sur le mariage arabe, enfin sur les transformations sociales provoquées par l'industrialisation de l'Algérie l'amènent à critiquer le modèle anthropologique dominant de l'époque, à savoir le structuralisme lévi-straussien. C'est donc en sociologue qu'il se met à étudier les pratiques culturelles puis l'école, sous la direction de Raymond Aron, mettant en œuvre une sociologie de la pratique dont il avait tracé les premiers linéaments dans sa critique du structuralisme. Nommé par Aron à la tête du Centre européen de sociologie historique, il se brouille avec ce dernier en 1968, dernière rupture qui lui donne l'indépendance théorique et pratique qu'il recherchait. Il pourra désormais avoir son propre laboratoire (le Centre de sociologie européenne), sa propre revue (*Actes de la recherche en sciences sociales*), puis ses propres collections (« Le sens commun » chez Minuit, puis « Liber », au Seuil), cette dernière elle-même appuyée

8. Pierre Bourdieu, *Questions de sociologie, op. cit.*, p. 74.

sur son association d'activisme politique (Raisons d'agir). On le voit, le parcours intellectuel de Pierre Bourdieu s'est construit sur une triple rupture : avec la philosophie « scolastique », comme il dit, c'est-à-dire académique, puis avec l'anthropologie structurale, enfin avec la sociologie aronienne. La singularité de ce parcours n'a pas empêché un ancrage réussi dans les instances académiques : professeur de faculté, puis directeur d'études à l'École pratique des hautes études, puis directeur de laboratoire à l'École des hautes études en sciences sociales, professeur au Collège de France enfin, Bourdieu n'est pas le mal aimé de la sociologie française que l'on présente quelquefois. Il n'est pas non plus un homme isolé et a su s'entourer d'une « garde rapprochée » reprenant et développant ses thèmes de prédilection. En un mot, Bourdieu a su faire école et acquérir une position importante dans le champ intellectuel français – sans parler des États-Unis entre autres pays où il fait l'objet de nombreux commentaires[9], même s'il s'agit d'une position particulière.

Remarquable en effet est la rareté des échanges entre Bourdieu et ses pairs. À lire la production sociologique courante, on est frappé de constater combien Bourdieu est peu cité par ses collègues – hormis ses disciples évidemment qui ne citent que lui – et combien Bourdieu cite peu ses collègues. Cette situation est en partie due à la particularité d'une œuvre qui repose sur des présupposés théoriques forts, qui a forgé ses propres concepts et ses propres pratiques, qui repose enfin sur un mode de raisonnement particulier. Le sociologue a souvent insisté sur le caractère mono-

9. Pour une analyse bourdieusienne de son parcours intellectuel et académique, on se référera à l'ouvrage de Louis Pinto, *Pierre Bourdieu et la théorie du monde social,* Albin Michel, Paris, 1998.

lithique de son travail, où théorie et pratique sont indissociables, où les « thèses » ne peuvent être comprises et exposées qu'inséparablement des conditions et des protocoles de l'enquête sociologique. D'où l'impossibilité théorique de produire un quelconque « résumé », une possible « introduction » ou pire un *digest* de l'œuvre bourdieusienne. Il reste malgré tout que l'importance de la production éditoriale du sociologue, une écriture difficile d'accès, le choix de thèmes (l'école, la culture) où l'analyse fine ne peut être qu'inaudible derrière le brouhaha des assertions tranchées produites par les commentateurs autorisés, sont autant d'obstacles à la diffusion et – disons-le sans mépris – à la vulgarisation d'une œuvre importante. Bourdieu lui-même en est conscient et semble avoir répondu récemment à cette question en s'engageant directement dans le champ politique, poursuivant un double objectif de diffusion du produit de ses recherches et d'intervention directe dans le débat public par la production d'un discours normatif. Il est fort possible qu'il s'agisse là d'une voie sans issue car reposant sur un mélange des genres qui ne respecte pas la spécificité de chaque champ. L'état actuel du débat autour du sociologue, l'atmosphère de « pugilat[10] » qui s'en dégage quelquefois, semblent montrer que l'expérience n'est pas totalement réussie. Tandis que d'un côté les intervenants du débat intellectuel dénoncent un « terrorisme sociologique[11] » qui relativise leurs prises de position, de l'autre, les malentendus se multiplient sur le travail du sociologue. Dans un tel contexte, une introduction systématique à un travail qui s'étend sur

10. G. Courtois, « *Esprit* contre Bourdieu », *Le Monde,* 24 juillet 1998.

11. Jeanine Verdès-Leroux, *Le Savant et la politique. Essai sur le terrorisme sociologique de Pierre Bourdieu,* Grasset, Paris, 1998.

près de quarante ans n'est pas inutile. Comptant près de trente ouvrages (sans compter les articles, évidemment), l'œuvre bourdieusienne a pris les dimensions d'un monument doté d'une logique interne. L'aborder c'est d'abord en restituer la genèse, en déployer les plis internes, mais aussi tenter d'en comprendre l'évolution, en partie liée à son insertion dans un débat politique et intellectuel auquel elle a contribué.

I

PRÉSENTATION DE L'ŒUVRE

1. DE L'*HABITUS* AUX CHAMPS : UNE SOCIOLOGIE DE LA DOMINATION

Des usages sociaux de la photographie au marché de la maison individuelle, de *L'Éducation sentimentale* aux grandes écoles, de l'agriculture kabyle à la domination masculine, en quarante ans de carrière Bourdieu a passé un nombre considérable de faits sociaux au crible de son analyse. Mais la diversité des sujets abordés s'accompagne d'une incontestable unité théorique : au fil des livres et des articles, c'est un même projet, annoncé très tôt, une même approche qui se développe, s'exerce et mûrit. S'il n'est pas question ici de reconstituer le détail d'une genèse de la sociologie bourdieusienne, il apparaît important d'en mentionner quelques traits. On l'a dit, Bourdieu a construit une démarche originale en rupture avec un certain nombre de traditions académiques, dominantes à son époque. Rupture avec la philosophie académique, avec l'anthropologie structurale de Claude Lévi-Strauss – mais aussi avec les présupposés communs à l'ethnologie comme discipline –, avec la sociologie individualiste enfin. C'est par le biais d'une analyse de ces ruptures, et d'abord des publications écrites contre ces traditions académiques, qu'il est possible d'aborder l'œuvre bourdieusienne : on a ainsi directement accès non seulement aux concepts fondamentaux et axiomes de base qui conditionnent les travaux ultérieurs, mais aussi aux difficultés pratiques et théoriques dont la résolution a permis la naissance de ceux-ci. Par ailleurs, il est fort probable que nombre de malentendus sur la théorie sociologique de Pierre Bourdieu – et on pense ici notamment aux accusations de « holisme[1] » et de « déterminisme » qui lui ont été adressées – résultent de discussions sur certaines études « régionales » du sociologue (l'école, la culture) sans prendre en compte le trajet d'une réflexion théorique qui se définit dans les premières années par rapport aux théories existantes et dominantes. La démarche génétique, sans être une biographie intellectuelle ni une vaine recherche des « causes », nous semble donc être la méthode la moins susceptible de déformer la compréhension d'une œuvre sur laquelle l'interprétation *a posteriori* a pu jeter une lumière différente.

RAISONS PRATIQUES : LA RUPTURE ANTHROPOLOGIQUE

C'est lorsqu'il enseigna à la faculté des sciences sociales d'Alger que Pierre Bourdieu a réellement commencé un travail d'enquête sur le « terrain », enquête que la coupure disciplinaire propre aux sciences sociales oblige à qualifier d'« ethnologique ». Ses

1. On désigne par holisme les sociologies qui considèrent les phénomènes sociaux sous l'angle exclusif des logiques collectives au détriment de l'action individuelle.

deux premiers essais importants, « Le sentiment de l'honneur » et « La maison kabyle ou le monde renversé[2] », témoignent à la fois de la volonté d'utiliser les schèmes d'analyse mis au point par Claude Lévi-Strauss en matière d'analyse structurale (voir encadré) de l'univers symbolique indigène, et en même temps d'un sentiment d'insuffisance quant à ce type d'analyse.

Le structuralisme en linguistique et en anthropologie

C'est avec le *Cours de linguistique générale* de Ferdinand de Saussure publié en 1916 qu'on peut situer l'acte de naissance du structuralisme. Saussure propose en effet une approche nouvelle dans l'étude du langage en le considérant comme système de signes. Ainsi, et de manière générale pour la linguistique structurale, la langue est constituée de signes qui sont autant de points de jonction entre signifiant et signifié. Le sens d'un énoncé est produit par la structure des relations qu'établissent les signes entre eux et non par l'intention du locuteur, encore moins par une quelconque référence à la réalité. Dès lors, la linguistique structurale étudie la langue du point de vue de sa forme (sémiotique) plutôt que de son contenu (sémantique). Représentée dès 1929 par le cercle de Prague, la linguistique structurale a une influence forte en URSS avec Jakobson et Troubetskoï, aux États-Unis avec Bloomfield, Sapir puis Chomsky, en France avec Martinet et Benveniste.

C'est durant la guerre, notamment lors de son exil aux États-Unis où il rencontre Jakobson, que Claude Lévi-Strauss s'intéresse véritablement au structuralisme. L'application à l'anthropologie de principes et

2. Ces articles ont été récemment réédités *in* Pierre Bourdieu, *Esquisse d'une théorie de la pratique,* Seuil, Paris, 2000.

méthodes tirés de la linguistique structurale donne des résultats encourageants : les *Structures élémentaires de la parenté* notamment, publiées en 1949, prétendent résoudre des problèmes que l'on jugeait insurmontables. Mettant l'accent sur l'alliance plutôt que la filiation, Claude Lévi-Strauss s'intéresse donc aux structures d'échange entre groupes de parenté. À partir des années soixante, il applique la méthode de l'analyse structurale d'abord à la pensée totémique – ce sera *La Pensée sauvage* – puis aux mythes, amérindiens en particulier, dans la série des *Mythologiques*. Les conséquences de l'anthropologie structurale sont nombreuses et importantes. Le fait social s'évanouit en tant que tel et n'est plus analysé que comme un des termes d'une relation sur laquelle porte toute l'attention de l'anthropologue. L'homologie qui en découle entre le fonctionnement de la langue, des mythes, de la parenté et de la société en général résulte de l'universalité de la raison dont les lois se retrouvent dans tous les domaines de l'activité humaine. C'est sans doute dans le domaine de la parenté que les analyses de Claude Lévi-Strauss sont les plus impressionnantes. Dans *Les Structures élémentaires de la parenté*, il réussit à intégrer dans un tout cohérent une multitude de faits qui demeuraient alors rétifs à l'analyse ou disparates : interdit de l'inceste, prescriptions matrimoniales, régimes de filiation. Le système ainsi dégagé prétend expliquer toutes les formes de parenté. Avec la série des *Mythologiques*, Claude Lévi-Strauss analyse toute une série de mythes indiens en s'intéressant à la manière dont les cultures indiennes codent leurs éléments culturels. Il met en évidence des rapports d'homologie ou d'inversion entre des mythes parfois très éloignés, mais dont les structures sont proches.

« La maison kabyle ou le monde renversé » constitue ce que Bourdieu appelle son « dernier travail de structuraliste heureux[3] ». Il tente d'y analyser l'espace symbolique constituant l'intérieur de la maison kabyle et à travers le recours massif aux systèmes d'opposition structurale, il montre que l'espace intérieur du foyer se structure par inversion avec l'espace extérieur. De manière générale, les séries d'oppositions (entre la gauche et la droite, l'eau et le feu, le cuit et le cru, le jour et la nuit, etc.) s'organisent par homologie avec l'opposition primordiale entre le masculin et le féminin qui commande en outre l'opposition entre l'intérieur (féminin) et l'extérieur (masculin). Ainsi, les séries d'oppositions sont-elles emboîtées puisque la maison, féminine, comprend une partie masculine (c'est-à-dire masculine-féminine) et une partie féminine (c'est-à-dire féminine-féminine). On comprend vite ce que doit ce type d'analyse à Claude Lévi-Strauss à qui d'ailleurs est dédié l'ouvrage dans lequel elle fut publiée[4]. Malgré l'aspect impeccablement structuraliste de ce travail, ce fut l'occasion pour Bourdieu de se poser un certain nombre de questions sur des aspects de l'observation que négligeait l'analyse structurale ; et notamment sur le fait que cette inversion entre l'intérieur et l'extérieur correspond à une logique pratique de postures corporelles où l'inversion se donne à voir avant tout comme un retournement (au sens où l'on se retourne). Cette importance du corps et de la posture, cette « géométrie dans le monde sensible », comme dit Bourdieu en reprenant l'expression à Jean Nicod, l'analyse structurale la néglige totalement par préjugé intellectualiste, pourrait-on dire, parce qu'elle n'est pas pensée, mais simplement agie. Dans la mesure en effet où le struc-

3. Cf. Pierre Bourdieu, *Le Sens pratique,* Minuit, Paris, 1980, préface.

4. *Échanges et communication, Mélanges offerts à Claude Lévi-Strauss,* Mouton, Paris, 1969.

turalisme s'intéresse avant tout aux représentations mentales et aux opérations logiques qui y sont inscrites, il ne peut penser le corps que comme représentation du corps, en ignorant la physique corporelle qui découle de sa matérialité. Autrement dit, penser l'inversion entre l'intérieur et l'extérieur de la maison ne peut se réduire à une pensée de l'inversion comme pure opération intellectuelle. Cette inversion a partie liée avec le corps qui se retourne très concrètement selon qu'il sort de la maison ou y entre. Une bonne partie de la distance que prendra Bourdieu à l'égard de l'analyse structurale aura ainsi pour fondement cette redécouverte des « évidences » que l'analyse structuraliste ignore par sophistication.

De la même manière, « le sens de l'honneur » tente d'analyser le rôle et le fonctionnement de l'honneur dans la société kabyle, en le rapportant aux représentations symboliques propres à cette société. Les systèmes d'opposition structurale entre la droite et la gauche, le masculin et le féminin, le haut et le bas, l'extérieur et l'intérieur trouvent leur correspondant dans le registre de l'honneur avec l'opposition entre un honneur masculin (*nif*) qui peut se capitaliser ou se dilapider, et qui se mesure à l'aune de la confrontation avec d'autres individus masculins, et l'honneur féminin (*hurma*) qui ne peut que se perdre, mais qui, surtout, n'est jamais un honneur individuel, mais une incarnation et une mise en péril tout à la fois de l'honneur collectif des agnats[5]. Au-delà d'une simple analyse des oppositions différentielles entre honneur masculin et honneur féminin, s'y ébauche une réflexion à la fois sur ce que l'auteur appelle l'« ethos de l'honneur »,

5. On appelle agnats les parents consanguins du côté du père (patrilatéraux), par opposition aux cognats ou utérins, parents consanguins du côté de la mère (matrilatéraux).

c'est-à-dire l'ensemble des règles, coutumes et pressions collectives qui dictent le comportement individuel lorsque l'honneur est en jeu, et en même temps sur une domination masculine qui, en attribuant des valeurs et des modes de fonctionnement différents à l'honneur masculin et à l'honneur féminin, révèle une conception péjorative du féminin qui le maintient dans une position subordonnée.

C'est pourtant le troisième « essai d'ethnologie kabyle », intitulé « La parenté comme représentation et comme volonté », qui va marquer la rupture la plus nette du sociologue avec l'ethnologie classique – et notamment l'anthropologie structurale : celui-ci a mené en effet, en compagnie d'Abdelmalek Sayad, une longue enquête sur les pratiques matrimoniales dans diverses régions kabyles, enquête dont la problématique était orientée sur la question de ce que les ethnologues appellent classiquement « mariage arabe ». Rappelons que le mariage arabe désigne la présence dans une société patrilinéaire de l'union préférentielle ou prescriptive avec la cousine parallèle patrilatérale – c'est-à-dire la fille de l'oncle paternel, ce qui constitue un cas d'endogamie de lignage. Autant dire que, pour la théorie de l'alliance proposée par Claude Lévi-Strauss dans *Les Structures élémentaires de la parenté* qui repose entièrement sur le principe de l'échange des femmes entre unités exogames, le mariage arabe constitue une absurdité, ou mieux un « scandale », comme l'anthropologue le dit lui-même. Ce *locus desperatus* de l'anthropologie de la parenté a donné lieu à un nombre considérable de théories visant à expliquer comment une société peut se donner pour règle de ne pas échanger les femmes entre lignages, et ce d'autant plus, que, dans la pratique, le taux de mariages conformes à la règle[6] est de loin inférieur à celui des unions non conformes. Les résultats négatifs de l'enquête menée par Bourdieu sur les pratiques matrimoniales en milieu kabyle – il s'est notamment aperçu que la proportion relative des types de mariage variait en fonction de l'extension géographique des unités considérées – l'ont amené à reprendre le problème à la base et à formuler en 1971 une critique radicale des présupposés anthropologiques en général et structuralistes en particulier. Il dénonce en effet l'utilisation naïve de la notion de règle ou de modèle, qui ne peut avoir de sens que d'un point de vue théorique et se trouve totalement dépourvue d'efficacité lorsqu'il s'agit d'analyser des pratiques. C'est donc à un renversement de perspective que le sociologue invite, s'attachant à mesurer la distance entre le point de vue de l'ethnologue « objectiviste », qui est un point de vue théorique, et le point de vue de l'agent, immergé dans la pratique. Encore une fois, si les indigènes eux-mêmes énoncent la règle, ici du mariage préférentiel avec la cousine parallèle patrilatérale, l'énonciation de la règle n'a pas le même sens que lorsque c'est l'ethnologue qui prononce la règle, parce que cette énonciation est elle-même immergée dans une pratique qui lui donne son sens. Dès lors, « les agents organisent leur pratique par rapport à la connaissance pratique des divisions utiles et ils utilisent comme un instrument de légitimation de l'ordre social la représentation généalogique que l'analyste traite comme un modèle théorique de la réalité sociale, faute de posséder la connaissance des principes d'unification et de division non généalogiques que seule l'histoire

6. Strictement : on obtient souvent de meilleurs scores en y ajoutant les cousins issus de germains.

économique et sociale du groupe peut livrer[7] ». Il est donc clair pour Bourdieu que l'analyse du mariage arabe ne peut se faire « dans l'univers pur, parce que infiniment appauvri, des "règles du mariage" et des "structures élémentaires de la parenté"[8] » et ne peut se comprendre que si on le restitue dans le contexte des logiques pratiques qui lui sont attachées ; à commencer par la logique de l'honneur dans la mesure où il est honteux pour le lignage de ne parvenir à marier ses filles. Le droit du cousin parallèle se transforme alors en devoir d'union afin de préserver l'honneur du groupe ; sans parler de la question de la transmission de l'héritage puisque, comme le remarquent nombre d'observateurs, le mariage arabe favorise la transmission patrimoniale sans déperdition ou morcellement. Plus généralement, Bourdieu montre que le mariage arabe prend place dans des stratégies matrimoniales plus larges, s'appuyant sur une idéologie valorisant l'unité du groupe et favorisant la reproduction et l'accumulation du capital symbolique (l'honneur) et économique au sein de chaque groupe. S'il semble contradictoire avec le mariage d'alliance qui organise la circulation des femmes entre les groupes, c'est uniquement d'un point de vue théorique et non pratique où cet échange (et la rentabilité de l'échange) n'est possible que dans la mesure où le groupe a su préserver sa cohérence et les différentes formes de capital qui lui sont en partage. Si ces remarques n'ont rien de radicalement nouveau et ont déjà été formulées par d'autres ethnologues (comme Cuisenier) dans d'autres contextes, elles prennent ici une valeur particulière

7. Pierre Bourdieu, « La parenté comme représentation et comme volonté », in *Esquisse d'une théorie de la pratique,* Droz, Paris, 1972.

8. *Ibid.*

comme point d'appui à une remise en cause plus générale de l'anthropologie structurale.

De manière générale, cet essai sur « la parenté comme représentation et comme volonté » contient en germe la plupart des critiques que Bourdieu adressera ultérieurement à l'anthropologie, notamment dans deux ouvrages importants : *Esquisse d'une théorie de la pratique* (1972), et surtout *Le Sens pratique* (1980) qui reprend, développe et approfondit une réflexion théorique entamée huit ans plus tôt. Il est essentiel de comprendre combien une part importante des concepts fondamentaux à la sociologie bourdieusienne est née à l'occasion de cette rupture avec l'anthropologie classique, notamment cette notion de « pratique » que Bourdieu utilise pour désigner à la fois l'objet de son analyse sociologique (*Raisons pratiques*, sens pratique) et ce qui caractérise sa sociologie (théorie de la pratique).

Si la notion de « pratique » qu'utilise Bourdieu s'oppose dans une certaine manière à la « théorie », il convient de manier avec prudence ce genre d'opposition de peur de lui donner un sens qu'elle n'a pas. Elle n'est notamment pas entièrement superposable à l'opposition entre subjectif et objectif que le sociologue manipule concurremment. S'il a utilisé d'abord et en premier lieu cette notion, c'est par opposition à la sociologie des représentations qui fonde l'anthropologie structurale. On l'a vu à propos du mariage arabe, la théorie structuraliste de l'alliance rend compte essentiellement des représentations indigènes, des théories indigènes du mariage dont elle fait « naïvement » un modèle. C'est encore plus évident en ce qui concerne l'autre versant de l'anthropologie structurale, à savoir l'analyse des mythes, non pas en ce qu'elle traite des discours (et donc des représentations), mais des discours comme langage. Dans l'*Esquisse d'une théorie de la pratique*, Bourdieu montre que l'anthropologie structurale a hérité de son modèle linguistique (la linguistique structurale proposée par Ferdinand de Saussure) de traiter le langage non pas comme discours, c'est-à-dire comme acte élocutoire, mais comme système de signes dégagé de toute situation d'élocution[9]. Reste que cette tentative qui a pour mérite de dépasser l'opposition stérile entre l'analyse du comportement humain comme le pur effet d'une volonté libre, et celle qui le voit comme une réaction automatique à des *stimuli*, expulse de l'action le sujet agissant puisque son comportement est inscrit dans des structures qui lui préexistent et qui fonctionnant à un niveau inconscient actualisent en l'individu « les lois de fonctionnement de l'esprit humain » que Bourdieu a beau jeu de pointer comme une résurgence de l'Esprit hégélien : les actes quotidiens que les individus accomplissent, les constructions culturelles dont ils sont les auteurs ne seraient en effet que l'actualisation historique et contingente d'un esprit (ou peut-être d'un Esprit) qui les dépasse, immuable et universel, fonctionnant toujours selon les mêmes lois que le structuralisme met au jour aussi bien dans le langage que dans les mythes, les rites, les pratiques matrimoniales, les représentations de la nature, etc. Cette volonté de la part de Lévi-Strauss de dégager la structure intemporelle sous-jacente au chaos apparent d'actions humaines l'engage à ne s'intéresser qu'au résultat de l'action (« *opus operatum* », dit

9. Cette critique s'appuie en particulier sur les *Investigations philosophiques* de Wittgenstein, auteur chez lequel Bourdieu puise une part importante de ses interrogations sur la notion de « règle » telle qu'elle est utilisée en anthropologie. Cf. notamment *Le Sens pratique, op. cit.* pp. 66-67.

Bourdieu qui utilise souvent des concepts scolastiques dans une logique opposée à la scolastique) et non à l'action en train de se faire (*modus operandi*). Comprendre la sociologie bourdieusienne comme un déterminisme mécanique, c'est donc oublier que celle-ci s'est construite à partir de la volonté de réintroduire dans l'analyse l'individu agissant contre une théorie qui l'en exclut [10].

À de nombreuses reprises, et contre toute théorie objectiviste, Bourdieu rappellera que les sciences sociales ne sont pas une physique sociale en ce sens que les actions ne peuvent être appréhendées indépendamment de leur « principe générateur » qui se situe « dans le mouvement même de leur effectuation [11] ». Cependant la position bourdieusienne, parce qu'elle critique l'objectivisme théorique, ne se rattache pas pour autant aux traditions subjectivistes qui abordent l'action en référence à des fins explicitement posées par les sujets, ou à des anticipations sur la réaction des autres sujets, comme dans le cas des approches interactionnistes. Abordée rapidement dans l'*Esquisse d'une théorie de la pratique*, la critique bourdieusienne des théories subjectivistes est développée dans *Le Sens pratique* [12] sous forme d'une lecture distante de la phénoménologie sartrienne qui conduit le sociologue, par une digression étonnante, à s'attaquer aux théories économiques de l'acteur rationnel (voir encadré).

Cette critique, on la retrouvera dans son dernier

10. Philippe Corcuff, « Le collectif au défi du singulier : en partant de l'*habitus* » *in* Bernard Lahire (sous la dir.), *Le Travail sociologique de Pierre Bourdieu,* La Découverte, Paris, 1999.

11. Pierre Bourdieu, *Esquisse d'une théorie de la pratique, op. cit.,* p. 235.

12. *Le Sens pratique, op. cit.,* « L'anthropologie imaginaire du subjectivisme ».

Les théories de l'acteur rationnel

Située à la frontière de la sociologie et de l'économie, la notion de rationalité est à l'origine de traditions théoriques extrêmement puissantes dans l'un et l'autre domaine. En économie comme en sociologie, la rationalité est définie comme la mise en œuvre de moyens adaptés à des fins consciemment définies. C'est là la définition de base de la rationalité instrumentale (en moyen) par opposition à la rationalité en valeur (portant sur le choix des fins) sur lesquelles les théories de l'acteur rationnel ne se prononcent pas. Ces théories ont pour objectif de construire des modèles théoriques par déduction de la rationalité des acteurs.

En économie, cette théorie passe par la définition de l'*homo œconomicus*, froid calculateur cherchant constamment à maximiser son avantage tout en en minimisant le coût, pour aboutir aux théories économiques classiques de Léon Walras et Vilfredo Pareto. En sociologie, discipline devant se spécialiser dans l'étude des actions non rationnelles selon Vilfredo Pareto, la notion de rationalité fut aussi à l'origine de théories célèbres, notamment l'individualisme méthodologique de Raymond Boudon que Bourdieu prend expressément pour cible de ses attaques, ou celles de John Elster parmi d'autres. Comme en économie, l'individualisme méthodologique tente de construire des modèles d'action par déduction de la rationalité des actes. Dans l'une et l'autre discipline, les théories de l'acteur rationnel s'appuient fortement sur les mathématiques, permettant une formalisation propice à la modélisation des situations. Les derniers développements de ces théories se retrouvent dans la théorie des jeux, issue au départ de l'application de problèmes mathématiques à l'économie, mais à laquelle l'individualisme méthodologique s'est beaucoup intéressé. Dans tous les cas, les théories de l'acteur rationnel prennent un point de vue strictement individualiste sur les phénomènes économiques ou sociaux : si ceux-ci peuvent apparaître comme ressortissant à des logiques collectives, ils ne sont, pour ces théories que la conséquence d'actions individuelles non concertées. C'est précisément l'objet de ces théories, aussi bien en économie qu'en sociologie, d'étudier les conséquences collectives de la conjugaison d'actions individuelles rationnelles et la rétroaction des changements intervenus sur les actions individuelles qui les ont provoqués.

ouvrage sur *Les Structures sociales de l'économie*[13], quoique de manière beaucoup plus classique, moins percutante, et pour tout dire moins intéressante. Dans *Le Sens pratique*, Bourdieu met au jour les contradictions dans lesquelles s'empêtrent les théoriciens de l'acteur rationnel, fondant leur approche sur une anthropologie fictive qui oscille entre un ultra-subjectivisme de l'acteur conscient de ses fins, et un mécanisme qui institue une finalité unique – la maximisation des profits – au principe de toute action « rationnelle ». Se servant de l'exemple pascalien du pari, il montre bien que si ces théories peuvent expliquer le comportement individuel par la raison, elles n'expliquent pas pourquoi l'acteur choisit (ou ne choisit pas) d'adopter un comportement rationnel et, au-delà de sa décision, de croire en sa décision. Ainsi, « l'économisme finaliste qui, pour rendre raison des pratiques, les rapporte de manière directe et exclusive aux intérêts économiques traités comme *fins* consciemment posées a [...] en commun avec l'économisme mécaniste qui les rapporte de manière non moins directe et exclusive aux intérêts économiques définis de manière tout aussi étroite, mais traités comme *causes*, le fait d'ignorer que les pratiques

13. Pierre Bourdieu, *Les Structures sociales de l'économie*, Seuil, Paris, 2000.

peuvent avoir d'autres principes que les causes mécaniques ou les fins conscientes et obéir à une logique économique sans obéir à des intérêts étroitement économiques[14] ».

Ce sont ces « autres principes » guidant l'action qui définissent la sociologie de Bourdieu comme une « praxéologie ». Par cette approche, Bourdieu tente de montrer que la plupart des actions humaines n'obéissent ni à des déterminations mécanistes (du milieu, par exemple) ni à des fins conscientes renvoyant à une théorie ou une représentation consciente du monde, mais à une « logique de la pratique », à un « sens pratique » qui s'exerce dans l'instant, en un clin d'œil, et qui fait que l'agent adopte un comportement sans y réfléchir, ni automatiquement, ni consciemment, mais qui dans tous les cas, *est ajusté aux conditions de l'action,* c'est-à-dire à la fois au moment de l'action dans sa relation au passé et en même temps à la situation de l'agent, c'est-à-dire à ses possibilités pratiques. C'est ce sens pratique qui « va directement de la pratique à la pratique » qui permet à tout un chacun d'agir sans élaborer à chaque action une théorie de son action, ou mieux, d'agir sans pouvoir établir de raison théorique à son action. Ce « sens pratique », Bourdieu le trouve dans tous les actes de la vie quotidienne, tous les comportements adoptés dans les circonstances de la vie sociale – qu'on pense aux travaux de Goffmann qui a montré la complexité et la profondeur d'une simple situation de face-à-face, ou encore dans ces productions culturelles que sont les mythes, les rites ou même les œuvres d'art. Si elle semble évidente au premier abord, la théorie bourdieusienne du sens pratique a cette originalité qu'elle reconnaît à la pratique une

14. *Le Sens pratique, op. cit.,* p. 85

logique différente de la logique théorique, ou encore « logique logique » comme il l'appelle. Il est clair en effet que la plupart des actions pratiques paraissent, une fois dégagées de la situation particulière dans laquelle elles ont été agies et examinées *sub specie aeternitatis*, ce qui est le point de vue de la logique théorique, parfaitement illogiques et contradictoires. Mais s'arrêter à cet illogisme d'apparence, c'est ne pas comprendre qu'elles répondent à leur propre logique qui est la logique de l'action. D'une certaine manière, toute l'œuvre bourdieusienne peut être lue comme une tentative de rendre compte et d'élucider cette logique particulière qu'est la logique de la pratique.

Ce nouveau point de vue lui permet de reformuler différemment et avec plus de force les critiques qu'il adresse à l'anthropologie structurale : car en examinant d'un point de vue théorique des productions qui ne peuvent être comprises que dans la logique de l'action, c'est le cas singulièrement des rites, mais aussi des mythes, elle se heurte à des contradictions qu'elle traite au mieux comme des variations, des modulations, ou qu'elle ignore souvent par un processus de réduction (un peu comme un alchimiste qui élimine les scories) qui enlève tout son sens au rituel étudié, ou plutôt qui lui donne un autre sens que celui qui préside à son effectuation, un sens théorique, académique en tout cas, monnayable sur le marché universitaire. En étudiant les rituels de mariage kabyles, Bourdieu a vécu l'expérience désagréable de mesurer la distance entre les constructions parfaites qu'expose savamment la littérature ethnologique et la réalité d'une observation impossible de rituels changeants selon les personnes, les lieux et les circonstances. Son acte de naissance en tant que sociologue réside peut-être dans le refus d'opérer la fusion structurale et dans l'intention de rendre compte de ces contradictions autrement que comme de simples modulations. Par ailleurs, la logique de la pratique est inscrite dans le temps, et qui plus est dans un temps irréversible. Partiellement conditionnée par un passé au moins immédiat, elle est tendue vers un « a-venir » qui lui donne son sens. Bourdieu reproche donc à l'anthropologie structurale, mais aussi à la théorie maussienne de l'échange réciproque qui fonde l'œuvre de Lévi-Strauss, d'abolir cette dimension temporelle de l'action. C'est particulièrement vrai de l'échange réciproque qui ne peut avoir de sens si l'on ignore le délai obligatoire parce que nécessaire qui s'établit entre le don et le contre-don. Et d'ailleurs, le sens pratique ne s'y trompe pas qui interdit de rendre sur-le-champ l'objet donné ou un autre équivalent, sous peine d'injure. Cette prise en considération du temps de l'action dans l'échange permettra à Bourdieu de montrer que derrière la réciprocité en apparence égalitaire se cache la réalité d'une domination fondée précisément sur le temps qui sépare le don du contre-don[15].

Objectivant l'objectivation mise en œuvre par les théories objectivistes, Bourdieu montre donc qu'il s'agit là d'une opération de transmutation qui tente d'appréhender la logique de la pratique du point de vue de la logique théorique, ce qui est le meilleur moyen d'en rendre la connaissance impossible. De même, s'en référer aux théories que produit l'agent lorsqu'il est mis en demeure par l'observateur – et singulièrement l'ethnologue – de justifier son action ne peut conduire qu'à méconnaître les particularités de la logique de la pratique. D'abord parce que l'agent ne peut pas pro-

15. *Esquisse d'une théorie de la pratique, op. cit.*, p. 337 sq. Pour une explication plus détaillée de l'interprétation bourdieusienne du don, voir plus bas : « Sociologie de la domination : capital et légitimité. »

duire une théorie de son action. Il est dans une situation que Bourdieu qualifie de « docte ignorance » qui lui permet d'agir sans connaître de théorie guidant son action, ensuite parce que les théories qu'il produit sont elles-mêmes immergées dans l'action et fonctionnent comme des idéologies, mystifiant et voilant des rapports sociaux de domination. C'est particulièrement vrai des relations de parenté et des stratégies matrimoniales qu'évoque Bourdieu dans *Le Sens pratique*[16] : tout à leur souci de reconstituer des arbres généalogiques complets et de dresser des tableaux de parenté significatifs, les ethnologues oublient de mesurer l'écart entre des stratégies matrimoniales pratiques, conditionnées par une histoire familiale particulière et des positions spécifiques dans l'espace social (et sur le marché matrimonial) d'un côté, et des généalogies reconstituées après coup pour justifier et masquer en même temps ces stratégies matrimoniales qui opèrent par sélection et oubli du significatif et du non-significatif, de l'ordinaire et de l'extraordinaire. Autrement dit, les généalogies dressées par les professionnels de la généalogie (généalogistes, griots, vieux, etc.) font l'objet d'un constant travail de manipulation en fonction des rapports de force et le plus souvent destiné à légitimer en les voilant un état présent des rapports sociaux.

Au terme de cette mise au point sur la rupture théorique effectuée par Bourdieu par rapport à l'anthropologie structurale, il est important de rappeler que le sociologue en retient deux éléments : tout d'abord la nécessité d'une « coupure épistémologique » avec les concepts et théories indigènes, ensuite la nécessité de penser les faits sociaux en termes de relations et non

16. Le chapitre intitulé « Les usages sociaux de la parenté » reprend et tire les conséquences de l'article de 1966 sur « La parenté comme représentation et comme volonté ».

de substance. Ce n'est pas par hasard que Bourdieu parle systématiquement de la structure des champs. On verra par la suite que ceux-ci, qui définissent les différents domaines de la vie sociale, ne se réduisent pas à une collection d'*habitus*, d'individus ou de productions culturelles mais se définissent pas des structures conçues comme lignes de force mais aussi comme systèmes d'opposition différentielle. Dans sa préface au *Sens pratique*, Bourdieu reconnaît donc à Lévi-Strauss le double mérite d'avoir introduit dans l'étude des mythes un discours non mythologique – c'est-à-dire ici non mimétique sur les mythes, en rupture avec le discours mythique, et d'avoir tenté d'introduire dans les sciences sociales une méthode d'analyse relationnelle et non pas substantiviste, étudiant les faits sociaux non pas en soi, mais comme positions en relations avec d'autres faits sociaux. Si Bourdieu critique les limites de l'anthropologie structurale sur ces deux points, il définit aussi souvent sa propre pratique sociologique comme un dépassement de l'anthropologie structurale[17] et non comme sa négation.

L'HISTOIRE INCORPORÉE : L'HABITUS

C'est en tentant d'expliciter, de définir et d'étudier ce « sens pratique », simplement défini négativement pour le moment, que Bourdieu en est venu à mettre au point le concept d'*habitus* qui est au cœur de sa théorie. Au point de départ de cette réflexion, il y a une interrogation sur la coïncidence quasi miraculeuse des actions individuelles qui se trouvent sinon toujours, du

17. Notamment dans son chapitre sur les trois modes de connaissance de l'*Esquisse d'une théorie de la pratique* qui emprunte fortement à Hegel et Marx.

moins très souvent, remarquablement ajustées à la situation et qui s'accordent les unes les autres, « s'orchestrent » dit Bourdieu, dans les situations d'interaction bien sûr, mais aussi hors de toute situation d'interaction, et cela sans concertation [18]. Plus remarquable encore, est la capacité des agents à ajuster spontanément leurs espérances subjectives (par exemple d'accéder à tel ou tel bien) aux probabilités objectives définies par les conditions objectives d'accéder à ces biens (ou positions) [19]. Autrement dit, les agents ont spontanément tendance à limiter leurs prétentions à des fins qu'il est objectivement probable qu'ils atteignent, et cela sans se livrer à un quelconque calcul conscient de probabilité. C'est pourquoi Bourdieu parle souvent de stratégie (scolaire, matrimoniale, sociale) mais en ajoutant toujours « sans intention stratégique » dans la mesure où l'optimisation de l'action n'est pas consciente. L'usage bourdieusien de la stratégie permet donc de « faire l'économie du cynisme » qui lui est habituellement lié en ce sens que les agents n'ont pas nécessairement la volonté de maximiser leurs profits – même s'ils peuvent l'avoir –, mais adoptent un comportement qui tend à le faire. Pour comprendre la logique interne à cette coïncidence, à l'ajustement perpétuel des pratiques individuelles à la fois entre elles et aux conditions objectives de leur pratique, Bourdieu fait un détour par Leibniz qu'il a longuement étudié lors de sa formation philosophique et qui lui fournit ici un modèle intéressant, permettant d'expliquer la coïncidence des pratiques. Si celles-ci sont perpétuellement ajustées les unes aux autres, permettant la constitution d'un jeu social qui ne connaît pas ou peu de hors-jeu,

18. *Esquisse d'une théorie de la pratique, op. cit.*, p. 269, et *Le Sens pratique, op. cit.*, p. 98.
19. *Le Sens pratique, op. cit.*, p. 90.

de faute, c'est que le comportement de chaque individu est guidé part une loi intime – *lex insita* –, qui lui est à la fois propre et commune à ses pairs. L'agent est donc comme la monade leibnizienne, à la fois individu singulier et reflet d'une totalité à laquelle il appartient. Guidé dans sa vie quotidienne, dans sa confrontation à l'événement même le plus inattendu par « un ensemble de dispositions durables » inscrites en lui, ses actions ne se définissent ni comme le pur produit de sa volonté consciente (ou des fins qu'il aurait posées) ni comme des réponses automatiques à des *stimuli*, mais comme un processus continu d'invention limité par les conditions objectives « appréhendées à travers les schèmes socialement constitués qui organisent sa perception[20] ». Cet « ensemble de dispositions durables » qui guide l'action en l'ajustant spontanément aux conditions objectives de son effectuation est ce que Bourdieu appelle l'*habitus*. *Habitus* et non pas habitude pour bien signifier qu'il n'est pas un mécanisme automatique de reproduction de schèmes préétablis, mais plutôt un « principe générateur[21] » de produits de l'action qui ne peuvent être mécaniquement déduits des conditions objectives de sa production. Ainsi, « parce que l'*habitus* est une capacité infinie d'engendrer en toute liberté (contrôlée) des produits – pensées, perceptions, expressions, actions, – qui ont toujours pour limites les conditions historiquement et socialement situées de sa production, la liberté conditionnée et conditionnelle qu'il assure est aussi éloignée d'une création d'imprévisible nouveauté que d'une simple reproduction mécanique des conditionnements initiaux[22] ». Structure structurante autant que structure structurée de l'action, l'*habi-*

20. *Ibid.*
21. *Questions de sociologie, op. cit.,* p. 134.
22. *Le Sens pratique, op. cit.,* p. 92.

tus ne peut être réduit à une détermination externe et mécanique de l'action par les conditions de l'action. La notion d'*habitus* comme concept permettant de dépasser le « couple épistémologique » stérile de l'objectif et du subjectif doit évidemment beaucoup à Maurice Merleau-Ponty qui manifestement constitue une source importante d'inspiration pour la sociologie bourdieusienne[23]. Ici en particulier, la conception de l'*habitus* comme schème perceptif immergé dans l'action et non comme représentation « théorique » du monde permet d'assigner à la *Phénoménologie de la perception* de Merleau-Ponty une place particulière parmi les sources théoriques du concept bourdieusien. Celui-ci développe, en effet, une critique philosophique à la fois du naturalisme chosiste et du spiritualisme intellectualiste qui restitue une approche de la perception (des schèmes perceptifs) non comme une substance close mais comme une action ou plutôt comme activité immergée dans l'action. Il n'est pas douteux que le concept d'*habitus* doive beaucoup au philosophe qui exerça une influence non négligeable sur la formation intellectuelle de Pierre Bourdieu.

Mais l'*habitus* resterait un *deus ex machina* (ou plutôt *in machina*), une « boîte noire » pour reprendre le mot de Philippe Corcuff, si n'étaient expliquées les conditions de sa formation en chacun. Et de fait, c'est bien l'histoire qui préside à sa formation, à la fois l'histoire collective d'un groupe et l'histoire individuelle qui prenant la forme d'une série d'expériences en même temps que d'une éducation permet d'assurer la coïncidence entre l'action individuelle et les conditions objectives de son effectuation. Autrement dit, l'*habitus* serait le résultat d'une sédimentation de l'histoire,

23. Loïc Wacquant, « Présentation » *in* Pierre Bourdieu et Loïc Wacquant, *Réponses,* Seuil, Paris, 1992.

c'est-à-dire concrètement de l'histoire de tous les rapports de force vécus par le passé en tant que groupe et en tant qu'individu. On ne peut donc interpréter l'*habitus* comme la « culture » anhistorique d'un groupe ou d'une classe reproduite à l'identique pour et par chacun de ses membres. Si l'*habitus* est bien une culture, surtout pour ceux qui en sont porteurs, c'est en tant qu'il est un oubli de l'histoire, une naturalisation par omission d'un ensemble de dispositions qui ne sont que le produit d'une histoire individuelle et collective. À l'inverse, on a vu que l'*habitus* est un « principe générateur » d'action et, en tant que tel, il produit aussi de l'histoire. Ajusté aux conditions objectives de l'action, il les transforme aussi en produisant de l'action. On peut donc dire que si l'*habitus* est un produit historique, un produit de l'histoire, l'histoire qui se fait, comme somme de toutes les actions, est aussi un produit de l'*habitus* avec lequel elle entre dans un rapport circulaire : « produit de l'histoire, l'*habitus* produit des pratiques, individuelles et collectives, donc de l'histoire, conformément aux schèmes engendrés par l'histoire ; il assure la présence active des expériences passées qui, déposées en chaque organisme sous la forme de schèmes de perception, de pensée et d'action, tendent, plus sûrement que toutes les règles formelles et toutes les normes explicites, à garantir la conformité des pratiques et leur constance à travers le temps[24] ». Enfin, l'ajustement de l'*habitus* aux conditions de l'action est un processus continuel qui ne peut se réduire à l'éducation des premières années de la vie. Si celle-ci, on le verra, joue un rôle important dans la formation de l'*habitus* individuel, elle est constamment renforcée et modifiée par des expériences et sanctions

24. *Le Sens pratique, op. cit.,* p. 91.

secondaires qui s'accumulent tout au long de la vie. Dès lors, l'*habitus* n'est jamais constitué une fois pour toutes mais évolue par ajustement aux conditions de l'action qui elles-mêmes évoluent. Il arrive quelquefois qu'un décalage très important apparaisse entre un *habitus* formé à un moment passé de l'histoire, en fonction des conditions qu'offrait ce moment passé, et des conditions présentes de l'action qui ont fortement évolué en un laps de temps très rapide (c'est le cas de toutes les transformations sociales rapides provoquées par une révolution technologique, un contact interculturel ou une révolution politique). Ce décalage entre passé et présent devient trop important pour permettre un ajustement de l'*habitus* et entraîne ce que Bourdieu appelle un effet d'*hysteresis* qui peut être interprété comme une inadaptation des schèmes pratiques mis en œuvre dans l'action aux conditions objectives présentes de cette action. L'effet d'*hysteresis*, au-delà des cas particuliers qu'il permet d'expliquer, met en lumière la relation, la tension pour être plus précis, entre passé et présent qui se trouve au cœur de la notion d'*habitus*.

La belle étude menée par Pierre Bourdieu et Abdelmalek Sayad sur le déracinement de paysans algériens venus travailler en ville[25] illustre bien la réalité de ces phénomènes d'*hysteresis*. Les deux sociologues montrent en effet comment la politique coloniale de regroupement systématique des populations pendant la guerre d'Algérie (c'est la politique de « pacification »), mais aussi continûment depuis le XIXe siècle pour satisfaire aux intérêts des colons, a provoqué un exode rural important qui a bouleversé en l'espace de quelques années les structures sociales de la société paysanne algérienne, déjà bien entamées par la monétarisation

25. Pierre Bourdieu et Abdelmalek Sayad, *Le Déracinement*, Minuit, Paris, 1964.

des échanges et la mise en place du salariat. Ainsi, la cohérence culturelle et sociologique qui reposait sur une concordance des comportements, des représentations de l'espace et du temps, des valeurs accordées au travail et à la terre, en un mot des *habitus* avec les structures sociales et foncières, fut durablement détruite par l'impact de la colonisation et des politiques autoritaires qui l'accompagnèrent. Mais la démonstration des deux sociologues ne se cantonne pas à ce constat. Ils montrent aussi, et c'est le point central de leur ouvrage, que les paysans déracinés qui se retrouvent en ville ne font pas pour autant des citadins. Autrement dit, la force de l'habitus fait perdurer des comportements qui deviennent objectivement désaccordés aux nouvelles conditions de vie. Plus précisément, les populations déplacées entrent alors dans un cycle morbide d'autodévaluation et de dépréciation de la condition paysanne, désormais jugée négativement. Il reste que ce processus ne s'accompagne pas de l'acquisition d'une culture urbaine, mais d'éléments disparates d'une culture étrangère coexistant de manière totalement improbable avec des éléments désormais dépourvus de sens de la culture ancienne. La formation de ce que Bourdieu et Sayad appellent le « sabir culturel » témoigne d'une désorientation profonde qui permet de voir dans le phénomène d'acculturation avant tout un processus de déculturation. Les deux sociologues s'attachent à relever les contradictions internes avec lesquelles les paysans déracinés doivent lutter, sorte de schizophrénie sociologique à l'origine de comportements particulièrement aberrants. Cette étude, dont le pessimisme contraste assez violemment avec les travaux habituels sur les phénomènes d'acculturation, met bien en lumière le caractère un peu statique du rapport que Pierre Bourdieu établit entre les structures sociales et l'*habitus*. Si l'un et l'autre évoluent constamment par interactions, il est clair que cette évolution ne peut être que très progressive. Tout événement majeur venant rompre le cercle de l'adaptation de l'habitus aux structures sociales ne peut que provoquer des effets d'*hysteresis* et une désorientation générale des agents dans les nouvelles conditions sociales qui leur sont imposées. Le sociologue accorde donc peu de crédit aux capacités de création ou de re-création de cultures métisses par exemple dans le cas de l'acculturation, ou, plus généralement, de schèmes adaptatifs des individus leur permettant de surmonter rapidement un changement brutal de milieu ou de condition sociale d'existence. Le processus par lequel les comportements sont ajustés aux structures sociales dans lesquelles ils s'insèrent est un processus extrêmement lourd et complexe, dont la pesanteur interdit la mise en place d'une adaptation rapide.

Il reste à résoudre une dernière question avant d'étudier plus en détail l'*habitus* dans son fonctionnement concret. Bourdieu parle souvent concurremment d'« *habitus* de classe » (ou de groupe) et d'« *habitus* individuel ». Et de fait, originairement, l'*habitus* comme histoire incorporée est un guide de l'action individuelle et Bourdieu l'étudie et l'utilise comme tel. En revanche, il est clair qu'il possède aussi une dimension collective en ce sens que tous les savoirs pratiques sur ce qu'il faut dire et ne pas dire, faire ou ne pas faire, sur les postures corporelles et les goûts (le bon goût et le mauvais goût), sur l'évaluation des chances de réussite dans tel ou tel domaine sont des savoirs collectifs, institutionnalisés en même temps qu'individuels. Il existe donc un rapport particulier entre *habitus* individuel et *habitus* de groupe que Bourdieu prend la peine d'expliciter relativement longuement tant il est propice aux malentendus – et de fait, ce rapport est cause de nombreux malentendus qui consistent à voir dans l'*habitus* de classe ni plus ni moins qu'une culture de classe, s'imposant indifféremment à tous les individus appartenant à la même classe sociale, ce qui ouvrirait la voie à un déterminisme social, la conceptualisation d'un destin auquel nul ne pourrait échapper[26]. Du fait des interactions individuelles d'une part et de l'homogénéité relative des conditions de vie d'autre part, il y a une homogénéisation des *habitus* individuels. Ainsi, un certain nombre d'individus vivant dans les mêmes conditions objectives et, par ailleurs (mais cela n'est pas nécessaire), étant en interaction les uns avec les autres vont avoir des *habitus* relativement homogènes, formant ce que Bourdieu appelle une classe, ou une classe sociale définie comme « une classe de conditions d'existence et de conditionnements identiques ou semblables » et inséparablement « une classe d'individus biologiques dotés du même *habitus*, comme système de dispositions commun à tous les produits des mêmes conditionnements ».

Il faut donc prendre garde à ne pas voir dans la classe sociale bourdieusienne un groupe social hypostasié doté d'un inconscient collectif que serait l'*habitus* de classe. Opposé sur ce point comme sur beaucoup d'autres à la tradition durkheimienne, la notion de groupe ou de classe chez Bourdieu est constituée avant tout par une régularité statistique, c'est-à-dire par la mesure d'une homogénéité relative de variables mesurant l'homogénéité des conditions de vie et des *habitus*. Prenant garde à ne pas réifier ce qui est le résultat d'une construction sociologique et non une réalité naturelle, Bourdieu n'écrit jamais que la classe dominante pense que... ou qu'elle agit de telle ou telle manière. La classe dominante n'est jamais autre chose que

26. Sur le rapport entre *habitus* de classe et *habitus* individuel, cf. *Le Sens pratique, op. cit.*, p. 100 sq.

l'ensemble des individus dotés d'un fort capital et adoptant des *habitus* relativement semblables. Par ailleurs, l'*habitus* étant le produit à la fois de conditions de vie et d'expériences individuelles, il est clair qu'à l'intérieur d'une classe tous les *habitus* individuels ne sont pas absolument identiques, ne serait-ce que parce que « il est exclu que tous les membres de la même classe (ou même deux d'entre eux) aient fait les mêmes expériences et dans le même ordre[27] ». Quelle est alors la relation qui assure l'homogénéité des *habitus* individuels à l'intérieur d'une classe ? « C'est une relation d'homologie c'est-à-dire de diversité dans l'homogénéité reflétant la diversité dans l'homogénéité caractéristique [des] conditions de vie ». Ainsi, chaque *habitus* individuel est une « variante structurale des autres où s'exprime la singularité de la position à l'intérieur de la classe et de la trajectoire ». Chaque individu possède une trajectoire sociale qui lui est propre, reflétée par une position singulière dans l'espace social, ce qui explique que chaque individu ait une manière propre, reflet particulier ou synthèse originale sous forme d'un *habitus* individuel d'un *habitus* de classe transmis, essentiellement par l'éducation.

Si l'*habitus* concerne tous les aspects de la vie sociale, dans la théorie bourdieusienne, il s'enracine primitivement dans une expérience corporelle. Bourdieu répète souvent que l'*habitus* n'est pas un état d'âme mais un « état de corps ». L'ensemble de dispositions durables concerne avant tout des dispositions corporelles fondées sur une attitude du corps – une *hexis* corporelle, propre à chacun certes mais en même temps commune à toute une classe. On retrouve ici l'ethnologue, bon lecteur du Mauss des « Techniques

27. *Le Sens pratique, op. cit.*, p. ?.

du corps », prompt à analyser dans tous les automatismes corporels, les attitudes, les manières de parler, les goûts et les dégoûts aussi un univers symbolique où viennent se rencontrer géométrie physique et géométrie sociale. C'est d'ailleurs en observant, on l'a dit, que l'inversion symbolique entre l'intérieur et l'extérieur de la maison kabyle est aussi une inversion géométrique et donc corporelle (par retournement) que le sociologue a commencé à introduire dans ses analyses une sociologie du corps. C'est notamment le cas de ses remarques sur *habitus* masculin et féminin dans la société kabyle qui se fonde en grande partie sur une opposition d'attitudes corporelles : attitude tournée vers l'extérieur et le haut pour les hommes – il s'agit de se tenir droit, de faire face, prêt à affronter l'autre sur le terrain du point d'honneur, attitude tournée vers l'intérieur, le bas, attitude d'humilité et de soumission pour la femme. De même, ne peut-on ignorer les équivalences entre espace physique et espace social établies par toutes les sociétés qui incitent chacun à connaître sa place, à tenir sa place (ou mieux son rang) à la fois dans la société et dans un lieu concret. Si dans tout espace, les individus ont tendance à prendre place « naturellement », « instinctivement », c'est bien que c'est leur corps qui par le biais de l'expérience accumulée et de l'éducation primordiale sait où est leur place dans les deux espaces. De même, l'éducation du jeune enfant a-t-elle pour conséquence sinon pour objectif d'éduquer le corps plutôt que l'esprit, d'incorporer en lui les schèmes les plus courant d'un *habitus* de classe à travers la sempiternelle série des obligations et interdits de la politesse (on fait ceci, on ne fait pas cela, etc.). Sans compter encore la question des goûts dont on ne discute pas, non pas parce que tous les goûts sont dans la nature, mais parce qu'ils sont le résultat d'un long travail d'éducation corporelle effectué cette fois non dans le langage de la règle, mais dans celui du jugement appuyé par une familiarité due à la fréquentation dans la durée en même temps que la précocité de la fréquentation des œuvres et des produits culturels homogène sous certains aspects[28]. Que l'on songe enfin au langage lui-même, appris dès la prime enfance dont la psychanalyse a montré l'enracinement corporel, et qui, en même temps, distingue tellement les classes sociales, renvoyant tout à la fois à une histoire personnelle et, à une représentation ou mieux à une actualisation corporelle. Dès lors, « l'*hexis* corporelle est la mythologie politique réalisée, incorporée, devenue disposition permanente, manière durable de se tenir, de parler, de marcher, et par là, de se *sentir* et de *penser*[29] ».

C'est cet apprentissage corporel, cette éducation primaire inscrite dans le corps qui détermine la croyance pratique des agents dans le jeu social et singulièrement dans le jeu et les règles du jeu du champ où ils interviennent. L'intérêt pratique, l'investissement, ou *illusio,* des agents n'est pas le résultat d'une décision mais une adhésion immédiate, irréfléchie, ne résultant pas d'un choix, fût-il rationnel, mais d'une croyance pratique vécue comme une nature, comme lorsqu'on dit qu'il faut y être né pour le comprendre. Et de fait, l'inscription d'un individu dans un champ n'est la plupart du temps réussie que lorsque celui-ci « y est né », c'est-à-dire lorsque toute son éducation primaire a construit en lui un *habitus* accordé à ce champ, ou lorsqu'il est passé par un long processus initiatique, de rééducation littéralement, vécu souvent à juste titre comme une seconde naissance. C'est cette nécessité

28. Cette analyse est développée dans *La Distinction,* ouvrage qui sera évoqué ultérieurement.
29. *Le Sens pratique, op. cit.,* p. 117.

d'une croyance pratique, c'est-à-dire spontanée et non réfléchie ni voulue, qui permet aux acteurs du champ de distinguer les héritiers des tard-venus, ou pire, des parvenus. Car tout dans les manières indique l'illégitimité du parvenu dont l'adhésion aux règles du champ, formulée explicitement (il doit donner des gages), caricature ou singe l'adhésion spontanée à ces mêmes règles des héritiers : le « tard-venu » aura toujours ce désavantage par rapport à l'héritier de devoir reformuler consciemment les règles implicites du champ, dont les héritiers n'ont même pas forcément conscience en tant que règles du moins. D'où ces phénomènes d'hypercorrection de la part des prétendants qui doivent incessamment donner des gages de leur légitimité à tenir la place qu'ils tiennent, par opposition à la décontraction ou la liberté des héritiers qui peuvent d'autant plus prendre des libertés à l'égard de ces règles qu'ils n'ont pas à faire la preuve de leur appartenance au champ. Ces différences, théoriquement exprimées, prennent des formes très concrètes dans l'utilisation du langage, dans l'habillement, dans la manière de se tenir qui n'échappent pas à l'œil exercé des héritiers. D'une manière générale, on peut dire que le signe distinctif du parvenu est qu'il « en fait trop », parce qu'il n'a pas eu cette éducation primaire, éducation du corps avant toute chose, qui permet à celui qui l'a reçue de se passer de ces artifices. On voit tout de suite l'usage que Bourdieu fera de cette analyse dans son étude des processus constitutifs de la reproduction sociale, relativisant sérieusement le credo de l'école libératrice du destin social : parce qu'elle ne fournit qu'une éducation théorique et limitée, l'école n'a elle-même qu'une efficacité limitée par rapport à son objectif « républicain » de redistribution des hiérarchies sociales, dans la mesure où, précisément, celles-ci vont s'appuyer pour se définir sur tout ce qui peut échapper à un enseignement public. C'est aussi toute l'illusion des manuels de savoir-vivre qui cherchent à enseigner de manière livresque, donc théorique, ce que seule une éducation corporelle dès la petite enfance peut enseigner. On peut très bien savoir comment il faut manger sa soupe pour dîner dans le monde et ne pas savoir la manger concrètement, parce que cela exige un entraînement que ne procure pas l'enseignement théorique ; et même l'entraînement volontariste ne peut-il produire que des manières guindées, repérables entre toutes, et non ce naturel « inné » qui fait la vraie distinction de l'héritier. Pas plus que l'ethnologue ne peut devenir indigène du jour au lendemain dans la mesure où l'un et l'autre savent que sa croyance n'est jamais qu'une croyance décisoire fondée sur un double jeu, de même le prolétaire ne devient pas un bourgeois par le simple miracle de la sanction scolaire. Il devra continuellement donner des preuves de son intégration, et le fait même qu'il ait à donner des gages le désigne comme un parvenu aux yeux d'héritiers dont l'appartenance primaire les dispense précisément d'avoir à donner ces preuves.

La notion d'*habitus* synthétise donc d'une certaine manière l'ensemble de l'effort du sociologue pour dépasser l'opposition classique dans les sciences sociales entre objectivisme et subjectivisme. On voit que, d'une certaine manière, dans sa formulation théorique il y parvient, de même que dans le cadre d'études appliquées comme *La Distinction* qui, on y reviendra, ne démontre pas que les goûts individuels sont déterminés par l'appartenance à une classe sociale, mais seulement que ceux-ci font l'objet d'usages sociaux distinguant ou classant en tant qu'ils sont partie prenante d'un *habitus* de classe. Il reste qu'une telle position avait toutes les chances d'être mal comprise dans un pays doté d'une tradition historique du champ intellectuel construite sur une opposition entre des sciences sociales objectivistes (que l'on songe à la tradition durkheimienne par exemple) et des disciplines académiques (philosophie, critique littéraire) attachées à sauvegarder la liberté du sujet. Il est donc normal d'une certaine manière qu'on ait assigné à Bourdieu une position qu'on attendait de lui, surtout dans la mesure où, transfuge de la philosophie vers la sociologie en passant par l'anthropologie où coexistent les deux traditions, il donnait tous les signes académiques de celui qui a choisi son camp. Il n'est qu'à lire certains passages de *Questions de sociologie*, notamment ceux qui restituent le dialogue entrepris avec le public lors de conférences, pour comprendre à quel point il n'est pas entendu[30]. Les réponses de Bourdieu à ce type d'accusation oscillent ponctuellement entre la dénégation (« vous me faites dire ce que je n'ai pas dit ») et la provocation, endossant quelquefois le costume démoniaque du réductionniste scientiste qu'on veut à toute force lui faire porter, ne serait-ce que parce que l'accusation contient évidemment une part de vérité, une vérité partielle. Cette oscillation n'a pas peu contribué à brouiller la perception d'une construction théorique qui échappe à ces oppositions.

LA DIVISION SOCIALE DU TRAVAIL : LES CHAMPS

Autant la notion d'*habitus* fait l'objet de nombreuses et longues mises au point dans les écrits de Bourdieu, autant la notion de champ qui lui est complémentaire, utilisée systématiquement dans ses analyses sociologiques, est peu explicitée en tant que telle. Deux textes

30. Cf. notamment « Ce que parler veut dire » in *Questions de sociologie, op. cit.*

font malgré tout exception : « De quelques propriétés des champs », d'une part, publié dans *Questions de sociologie* et qui retranscrit une conférence donnée à l'École normale supérieure devant une assemblée de philologues, et « Le champ littéraire », article publié dans les *Actes de la recherche en sciences sociales*[31]. C'est d'ailleurs dans les études entreprises par Bourdieu sur la constitution du champ littéraire dans la deuxième moitié du XIXe siècle[32], que l'on trouve l'utilisation la plus détaillée de la notion de champ par le sociologue. Ces quelques éléments permettent d'ores et déjà de cerner plus exactement ce que recouvre cette notion.

Comme le remarque justement Bernard Lahire[33], la notion de champ est un concept opératoire forgé par Pierre Bourdieu dans le cadre d'une problématique courante de la sociologie : la question de la division sociale du travail. On sait en effet que cette problématique fut abordée notamment par Durkheim[34] dans le cadre d'une étude des solidarités organiques qui structurent les sociétés complexes. Durkheim montre bien qu'à partir d'un certain volume et d'une certaine densité, le corps social s'engage mécaniquement dans un processus de différenciation des fonctions qui prend souvent la forme d'une spécialisation professionnelle aboutissant à une autonomisation des activités sociales les unes par rapport aux autres. Cette problématique est aussi au cœur de la sociologie wébérienne qui prend garde à respecter dans son analyse les spécificités des

31. *Actes de la recherche en sciences sociales,* n° 89, 1991.
32. Pierre Bourdieu, *Les Règles de l'art,* Seuil, Paris, 1992.
33. Bernard Lahire, « Champ, hors-champ, contrechamp » *in* Bernard Lahire (sous la dir.), *Le Travail sociologique de Pierre Bourdieu, op. cit.*
34. Emile Durkheim, *De la division du travail social,* PUF, Paris, 1930.

registres d'action tout en étudiant éventuellement les conséquences qu'une évolution dans un registre peut avoir sur un autre registre (c'est le cas en particulier de la religion). Autre grande référence en la matière, Norbert Elias met en lumière à travers une étude historique longue l'autonomisation progressive du politique dans l'Europe occidentale du XVe siècle. Et de fait, la notion bourdieusienne de champ doit beaucoup à ces traditions sociologiques sauf en trois matières qui constituent la spécificité du champ bourdieusien : celui-ci est d'abord un champ de forces, objet d'une lutte d'appropriation et de légitimité de la part de ceux qui y prennent part, il est ensuite inséparable dans sa spécificité de la notion d'*habitus*, enfin, si chaque champ possède sa spécificité qui le rend irréductible à d'autres champs, il existe des lois générales des champs, valables pour tous et qui ne dépendent pas du contenu spécifique au champ mais des relations qui s'établissent entre les positions occupées à l'intérieur du champ.

On a vu que, selon Bourdieu, l'*habitus* est objectivement accordé au champ où s'exerce la pratique, mais que, par ailleurs, l'homogénéité des *habitus* individuels qui permet de parler d'un *habitus* de classe est partiellement déterminée – partiellement parce que l'*habitus* individuel ne se réduit pas à l'*habitus* de classe – par l'homogénéité des conditions de vie. Il est donc tentant de déduire de ces deux propositions la conclusion d'une relation circulaire entre *habitus* et champ où la notion de champ ne serait qu'un synonyme des conditions de vie, ou plus encore de la classe. Ce n'est pas le cas chez Bourdieu dans la mesure où, si la classe renvoie aux conditions de vie et à l'*habitus*, le champ renvoie à l'activité sociale (au *travail* social) et à l'*habitus*. Il n'existe donc pas de « champ des dominants » ou de « champ bourgeois » même s'il existe un *habitus* bourgeois, mais seulement un champ économique, politique, littéraire, scolaire, mais aussi un champ des constructeurs de maisons individuelles[35], des géographes, etc. Autrement dit, la notion de champ, liée à la notion d'*habitus*, renvoie aux activités et non aux conditions, d'où on peut déduire un certain nombre de propriétés de ces champs. Par ailleurs, toute activité sociale ne constitue pas un champ. Il y a champ à partir du moment où les individus exerçant dans le même domaine d'activité entrent en concurrence les uns avec les autres pour acquérir une position dominante dans le champ. Autrement dit, il faut qu'ils possèdent des intérêts communs et qu'ils entrent en lutte pour la possession d'un capital spécifique au champ. C'est ce qui détermine l'engagement, l'investissement des acteurs dans le champ, ce que Bourdieu appelle l'*illusio*. Cette notion d'*illusio* joue un rôle important d'articulation entre les deux notions : l'*habitus* est à la fois un ensemble de dispositions, de maîtrises pratiques, et en même temps un déterminant essentiel de l'investissement de l'agent dans un champ. Par son *habitus* celui-ci perçoit en effet comme naturel, allant de soi les intérêts spécifiques au champ, les enjeux du jeu qu'organise le champ, intérêts qui évidemment n'ont aucun intérêt pour d'autres. C'est ainsi que Bourdieu affirme qu'« on ne pourra pas faire courir un philosophe avec des enjeux de géographe[36] », ce qui est partiellement vrai, mais seulement partiellement parce que géographes et philosophes inscrivent aussi leurs pratiques dans un champ commun, universitaire par exemple. On doit donc comprendre que la notion de champ ne relève pas d'un découpage arbitraire des activités opéré par le

35. Cf. Pierre Bourdieu, *Les Structures sociales de l'économie, op.cit.*

36. Pierre Bourdieu, *Questions de sociologie, op. cit.*, p. 114.

sociologue mais d'une conscience relative – incomplète, sauf dans des situations historiques particulières – qu'ont les acteurs de l'autonomie du champ où ils interviennent qui conditionne aussi leur solidarité avec les autres acteurs du champ par-delà la concurrence qu'ils s'y livrent déterminée par l'importance que les uns et les autres accordent aux enjeux spécifiques du champ. Le champ est donc, non pas un ensemble d'individus, ni même un ensemble de pratiques, mais un ensemble de relations dissymétriques entre des positions non interchangeables engendrées par des pratiques.

On voit tout ce que cette idée doit au structuralisme dans son souci de ne pas réifier les pratiques, mais de les considérer toujours sous l'angle des relations différentielles – et inégales, ajoute Bourdieu – qu'elles établissent avec d'autres pratiques. C'est pourquoi, malgré l'irréductibilité relative des champs entre eux, leur spécificité de contenu, les champs se structurent selon des principes communs : « Les champs se présentent à l'appréhension synchronique comme des espaces structurés de positions (ou de postes) dont les propriétés dépendent de leur position dans ces espaces et qui peuvent être analysées indépendamment des caractéristiques de leurs occupants (en partie déterminées par elles). Il y a des lois générales des champs : des champs aussi différents que le champ de la politique, le champ de la philosophie, le champ de la religion ont des lois de fonctionnement invariantes[37] » Un de ces invariants est en particulier la lutte que se livrent les acteurs du champ, de tout champ pour l'appropriation du capital spécifique au champ (lutte de pouvoir) mais aussi pour la définition des enjeux légitimes du champ, ce que

37. *Ibid.*

Bourdieu appelle parfois la « table des valeurs » du champ (lutte de légitimité), les deux types de lutte étant liés entre eux. Pour Bourdieu donc, « dans tout champ, on trouvera une lutte[38] ». C'est pourquoi le sociologue utilise souvent l'expression « champ de forces » – parfois au sens métaphorique de champ de forces électromagnétiques –, pour caractériser le mode de fonctionnement des champs. C'est de l'analyse de ces rapports de force entre agents au sein du champ que l'on peut déduire la manière dont les champs se structurent. En effet, « la structure du champ est avant tout un état du rapport de force entre les agents ou les institutions engagés dans la lutte, ou, si l'on préfère, de la distribution du capital spécifique qui, accumulé au cours des luttes antérieures, oriente les stratégies ultérieures[39] ». Plus concrètement, cette perception de la structure du champ en termes de distribution de capital spécifique organise la lutte entre les « nouveaux entrants », nécessairement peu pourvus en capital, et les dominants ou « tenants » fortement pourvus. On comprend dès lors que la lutte pour l'appropriation du capital spécifique se double d'une lutte pour la redéfinition des enjeux légitimes du champ, la redéfinition de ces enjeux entraînant une redéfinition de la forme du capital légitime spécifique au champ.

Pierre Bourdieu a rarement consacré d'étude centrée sur un champ spécifique analysé comme champ. S'il utilise constamment cette notion, c'est bien souvent comme instrument d'analyse lui permettant de mettre au jour d'autres propriétés, d'autres faits sociaux. Il est d'ailleurs caractéristique que la notion de champ, présente dans *Le Sens pratique*, n'y fasse pas vraiment l'objet d'un développement séparé sinon comme

38. *Ibid.*
39. *Ibid.*, p. 114.

complément nécessaire à la notion d'*illusio*. De fait, il semble bien que la sociologie bourdieusienne opère un glissement de la notion d'*habitus*, centrale dans *Le Sens pratique* et *La Distinction*, vers la notion de champ qui a pris peu à peu une importance beaucoup plus grande qu'à l'origine. Il ne nous appartient pas ici de tenter d'expliquer ce glissement, sinon en rappelant que l'*habitus* intervient comme moyen de dépasser l'opposition entre objectivisme et subjectivisme, ce « couple épistémologique » qui structurait les sciences sociales au moment où il fut mis au point et que, par ailleurs, l'*habitus* tel qu'il est défini corrélativement à un sens pratique et à une pratique engendre de lui même la notion de champ, comme sa conséquence logique.

C'est dans *Les Règles de l'art* (1992), donc assez tardivement, que le sociologue livre l'analyse la plus approfondie et la plus complète du champ comme objet sociologique, à travers une étude de cas, comme l'indique le sous-titre de l'ouvrage : *Genèse et structure du champ littéraire*. Bourdieu y étudie pour ainsi dire *in vivo* la manière dont le champ littéraire s'est constitué à la fin du XIXe siècle, c'est-à-dire la manière dont il a conquis son autonomie en tant que champ spécifique (avec son capital, ses agents et ses enjeux spécifiques) et s'est ensuite structuré. Évidemment, il s'agit là d'une étude de cas, c'est-à-dire qu'un certain nombre de propriétés ou, pour reprendre le mot du sociologue, de « lois » du champ sont valables pour tous les champs, et singulièrement les champs de production culturelle, catégorie à laquelle appartient le champ littéraire (mais aussi ceux étudiés dans *La Distinction*). L'ouverture de cette étude se fait par une lecture de *L'Éducation sentimentale* de Flaubert, lecture qui fut souvent stigmatisée comme l'exemple type du réductionnisme que la sociologie peut produire lorsqu'elle s'attaque à l'analyse d'œuvres d'art. Et de fait, cette résistance des milieux de la culture à l'analyse sociologique de leurs trésors est significative – et analysée comme telle par Bourdieu – à la fois de la *doxa* spécifique au champ littéraire, et en même temps de la prégnance de l'éternelle dialectique entre déterminisme et liberté qui anime les débats au sein du champ intellectuel. Que la lecture bourdieusienne de *L'Éducation sentimentale*, et plus largement *Les Règles de l'art* en général soient lues comme une tentative d'expliquer l'œuvre par le milieu (alors que Bourdieu dit exactement le contraire) ressortit à la même logique.

L'Éducation sentimentale a pour héros Frédéric Moreau, jeune provincial armé du baccalauréat pour affronter Paris où il rêve de mener une brillante carrière littéraire et artistique. Tout le roman déroule la vie parisienne de Frédéric, tiraillé entre des désirs contradictoires que symbolisent ses amis : ne sachant s'il doit se consacrer à l'art, à l'argent ou au pouvoir, hésitant perpétuellement entre ces tentations comme entre ses maîtresses (Mme Arnoux et Mme Dambreuse), Frédéric ne fait rien et laisse le temps s'échapper, qui réduit progressivement à néant ses espérances de jeune homme. La lecture que propose Bourdieu analyse *L'Éducation sentimentale* comme une objectivation par Flaubert de sa position d'écrivain au moment même où s'autonomise le champ littéraire. Cette socio-analyse menée par Flaubert a pour point focal Frédéric et son irrésolution à s'engager du côté de l'un ou l'autre des pôles qui s'offrent à lui : l'art et la politique d'un côté, la politique et les affaires de l'autre, représentés par Arnoux d'un côté, Dambreuse de l'autre. Il s'agit là de deux pôles dont l'opposition structure un même « milieu », c'est-à-dire un même champ dans le langage bourdieusien : le champ du pouvoir dominé par la bourgeoisie. Dans ce milieu, l'écrivain lance ses cinq personnages principaux, Frédéric, Deslauriers, Hussonet, Martinon et Cissy, chacun étant doté de caractéristiques sociales propres. C'est donc à une sorte de sociologie expérimentale que se livre Flaubert dans son roman, décrivant comment les dispositions propres de chacun se combinent au champ de forces du pouvoir pour élaborer une trajectoire particulière. Des cinq adolescents, Frédéric reste seul indéterminé, en apesanteur parce qu'il est situé à équidistance des deux pôles. Tentant de jouer sur les deux tableaux, de s'allier en même temps aux deux pôles, il perd tout parce que les rapports de force au sein du champ impliquent des choix. Le choix social s'exprime dans le langage romanesque sous la forme d'un choix sentimental, entre Mme Arnoux et Mme Dambreuse. Loin de voir en Frédéric et en son indécision une projection de Flaubert en son personnage, Bourdieu décèle au contraire l'affirmation par l'écrivain de son autonomie par rapport au champ du pouvoir. Comme son personnage, Flaubert refuse les déterminations sociales bourgeoises qu'implique un positionnement dans le champ du pouvoir. Mais contrairement à lui, il transforme ce refus, qui ne conduit qu'à l'échec chez Frédéric, en l'affirmation d'une autre table de valeurs fondée sur la création artistique, ne serait-ce qu'en racontant l'histoire de Frédéric, mais surtout en élaborant un style pour le raconter. Dans *L'Éducation sentimentale*, Flaubert réclame donc pour l'écrivain, et adopte, un point de vue dégagé du champ du pouvoir (économique ou politique), un point de vue en surplomb qui lui permet d'écrire et de décrire le champ sans en être partie prenante. En cette revendication qui conduit Flaubert à « vomir les bourgeois » (mais aussi le peuple), Bourdieu voit une des premières manifestations de l'autonomie conquise par la littérature contre les pouvoirs auxquels elle était jusqu'alors subordonnée.

De nombreux signes montrent en effet qu'autour des

années 1850, avec le Parnasse d'abord, ensuite Flaubert et Baudelaire, se dessine un mouvement de réaction de la part d'un certain nombre d'écrivains à l'asservissement que le second Empire impose à la littérature. Sa subordination très ancienne au champ du pouvoir, politique et économique, prend en effet une forme et une intensité devenues insupportables à nombre d'entre eux. L'émergence d'une industrie de l'écriture (à travers notamment le journalisme qui se professionnalise) et d'autre part la censure politique qui s'abat sur la production d'œuvres appelées à véhiculer une édification morale provoquent une intensification de la dépendance des écrivains au champ du pouvoir. La réaction, qui prend d'abord la forme de la « bohème » dans l'espace des styles de vie, marque une première distance entre écrivains (mais aussi peintres) et « bourgeois » qui incarnent cette double dépendance détestée. Du point de vue des théories littéraires, la réaction antibourgeoise prend la forme du réalisme professé par un Champfleury qui affirme sa solidarité avec les dominés (dont il fait d'ailleurs partie dans une certaine mesure) mais aussi de « l'art pour l'art » qui accomplit une rupture beaucoup plus radicale avec les valeurs bourgeoises. C'est en effet la seule théorie littéraire à affirmer que l'œuvre d'art trouve en elle-même, ou plutôt dans sa seule forme, sa pleine et entière justification, indépendamment de toute valeur morale (ce qui la distingue du réalisme et de l'« art social »). Baudelaire, qui se positionne dans la dédicace des *Fleurs du mal* comme l'héritier spirituel de Gautier et du Parnasse, hurle son dégoût de l'art bourgeois et reconnaît comme seules valeurs légitimes celles que lui impose la Beauté. Dès lors, il énonce une rupture envers le champ du pouvoir (ce qui n'est pas nouveau), mais surtout affirme l'existence d'autres valeurs qui lui échappent et dans lesquelles les vrais écrivains se reconnaissent. Flaubert, qualifié à tort de « réaliste », effectue la même rupture dans le genre romanesque en accordant une prééminence absolue au style, à la phrase sur le contenu. Ce n'est évidemment pas un hasard si l'un et l'autre sont attaqués par l'ordre bourgeois lors de procès retentissants, moins parce qu'ils sont subversifs, que parce qu'ils expriment leur autonomie vis-à-vis du champ du pouvoir (leur œuvre étant donc logiquement jugée « immorale »). Les années qui suivent permettent de confirmer l'autonomie conquise par le champ littéraire, mais aussi de repérer les premières lignes de force qui vont structurer le champ nouvellement autonome.

Une analyse de l'état du champ aux alentours de 1880 permet de constater deux phénomènes. Tout d'abord, la réalité de l'autonomie du champ inscrite dans une hiérarchie des genres inverse de la hiérarchie opérée dans le champ du pouvoir. Ainsi, tandis que dans le champ du pouvoir le théâtre fournit la plus grande rémunération matérielle parce que immédiatement sanctionné par le public, suivi du roman puis de la poésie, dans le champ littéraire, c'est au contraire la poésie qui assure le plus grand prestige des pairs, suivie du roman puis du théâtre, genre méprisé parce que fortement dépendant de conditions extérieures au champ (coût de la réalisation, succès auprès du public, protections politiques, etc.). Ainsi s'instaure dans le champ littéraire une dichotomie entre le succès commercial et la valeur symbolique attachée aux œuvres, dichotomie qui, on le sait, perdurera sous une forme ou une autre jusqu'à aujourd'hui. Cette dichotomie d'ailleurs se redouble très rapidement à l'intérieur de chaque genre en prenant la forme d'une opposition spécifique au champ, c'est-à-dire entre écoles littéraires. L'opposition entre naturalisme et symbolisme se retrouve en effet, à quelques années de distance, aussi bien en poésie que dans le roman puis le théâtre. Il s'agit là de l'émergence d'une structure dualiste qui vient fortement relativiser la distinction des genres et que Bourdieu a tôt fait d'analyser en termes d'opposition, interne au champ, entre un secteur de recherche et un secteur commercial, mais aussi une avant-garde et une arrière-garde. La combinatoire entre les oppositions qui traversent le champ permet d'y déceler deux principes de différenciation indépendants et subordonnés : d'une part l'opposition entre la « production pure » et la « production commerciale », d'autre part l'opposition, à l'intérieur du secteur de la production pure, entre l'avant-garde où se retrouvent les nouveaux entrants et l'avant-garde consacrée occupée par les tenants. Ainsi le sociologue peut-il représenter le champ littéraire vers 1880 sous forme d'un diagramme s'organisant le long de ces deux axes.

Le deuxième axe d'opposition, entre l'avant-garde et l'avant-garde consacrée, permet d'ailleurs de mettre en lumière l'importance du temps dans le mode de fonctionnement des champs, chaque nouvelle génération chassant la précédente et ceci de manière particulièrement exacerbée dans le champ littéraire au tournant du siècle. On peut dès lors parler de « vieillissement social », processus irréversible qui désigne la capitalisation temporelle dans le champ et qui est largement indépendant de l'âge biologique, notamment parce que le capital de temps de présence dans le champ est transmissible et donc capitalisable sur plusieurs générations. Les phénomènes de discordance entre âge social et âge biologique sont d'ailleurs nombreux dans tous les champs puisqu'un héritier au début de sa vie sera toujours plus vieux socialement qu'un nouvel entrant, fût-il âgé. C'est ce qui explique aussi qu'à âge égal, la trajectoire sociale de deux agents ne sera pas la même parce que leur âge social n'est pas nécessairement le même. La situation particulière du champ littéraire au tournant du siècle qui n'en est qu'au début de son histoire comme champ autonome restreint sérieusement les processus de capitalisation, ce qui accroît d'autant la concurrence entre tenants et nouveaux entrants. Le champ entre alors dans une phase de « révolution permanente » où se succèdent à une vitesse effrénée les écoles littéraires, aussi nombreuses qu'il y a de générations, voire d'écrivains. Cette phase critique de la constitution du champ est intéressante pour l'observateur en portant au vif un phénomène présent dans tous les champs : la logique de distinction. Elle montre qu'exister dans un champ c'est se distinguer dans la mesure où le champ se définit comme un ensemble de relations distinctives entre des positions non interchangeables. Par ailleurs, la dialectique de la distinction établit des liens profonds entre l'espace des positions et l'espace des prises de position au sein du champ. Elle permet de comprendre que chaque prise de position se définit par rapport à l'ensemble des prises de position passées et présentes, et définit pour l'agent une position dans le champ comme position distinctive des autres positions du champ. C'est finalement la dialectique de la distinction qui porte la lutte à l'intérieur du champ sur le terrain de la légitimation des enjeux et valeurs qui lui sont spécifiques.

Dernière étape dans la constitution du champ littéraire comme champ autonome, l'affaire Dreyfus et l'apparition de l'intellectuel marquent l'apogée de cette indépendance. Le *J'accuse* de Zola s'appuie en effet sur la prétention de la part des agent du champ littéraire à intervenir dans le champ politique au nom des valeurs du champ littéraire ou intellectuel. Il s'agit bien sûr d'un renversement complet de situation et notamment des rapports entre politique et littérature, cette dernière étant traditionnellement subordonnée au premier. Le refus de la raison d'État de la part de Zola, mais aussi des jeunes intellectuels de la rue d'Ulm, manifeste donc l'indépendance du champ intellectuel quant à ses valeurs spécifiques, et également la volonté de faire valoir ces valeurs dans d'autre champs. L'intellectuel apparaît dès lors comme la figure inversée de l'homme d'État écrivain. Devenu un professionnel de l'écriture, ses prises de position, y compris dans d'autres champs, ne sont compréhensibles que par référence à d'autres prises de position dans le champ littéraire. L'intellectuel ne se détermine plus par rapport à d'autres valeurs que les valeurs intellectuelles, comme le pouvoir, l'argent ou la renommée. Le champ devenu autonome constitue son univers propre, de telle manière qu'on ne peut analyser ou même comprendre ce qu'il fait, dit ou écrit, si on ne connaît pas les règles implicites et explicites qui structurent cet univers.

Si les champs sont relativement autonomes, notamment quant aux valeurs et aux types de capital qu'ils légitiment, ils ne cessent pourtant d'interagir entre eux. Dans le cas précis du champ littéraire, le succès ou l'échec de tel ou tel mouvement est conditionné par l'existence, l'expansion ou le rétrécissement d'un lectorat approprié, et corrélativement aux évolutions qui traversent le système scolaire comme producteur de ce lectorat. De la même manière, les évolutions économiques du secteur de l'édition et du journalisme, créant ou détruisant les petits métiers du champ, permettent à un moment donné ou ne permettent pas à un autre aux producteurs de s'affranchir des impératifs du marché, ce qui conditionne le succès ou l'échec de telle ou telle révolution littéraire. Reste bien sûr qu'on ne peut déduire le contenu des révolutions symboliques qui s'exercent dans le champ des conditions économiques ou politiques dans lesquelles elles s'exercent. Autrement dit, « bien qu'elles soient largement indépendantes dans leur *principe*, les luttes internes dépendent toujours, dans leur *issue*, de la correspondance qu'elles peuvent entretenir avec les luttes externes – qu'il s'agisse de luttes au sein du champ du pouvoir ou au sein du champ social dans son ensemble[40] ». La possibilité d'une correspondance entre les luttes propres à chaque champ repose sur une autre série de propriétés des champs, et plus largement de l'espace social qu'il est nécessaire d'examiner : si chaque champ possède sa propre spécificité, et même s'il existe des influences directes et réciproques entre les champs, il existe une propriété plus fondamentale qui lie les champs entre eux, à savoir une homologie structurale entre chaque champ et entre chacun de ces champs et le champ du pouvoir. Cette homologie, qui repose sur l'opposition structurale entre dominants et dominés, permet notamment la mise en place d'effets d'harmonie préétablie, et d'abord entre sous-champs à l'intérieur d'un même champ[41]. Dans le cas de la production de biens culturels, l'homologie entre le sous-champ des producteurs et le sous-champ des consommateurs permet à la production de s'ajuster instantanément à la demande du public, de « trouver son public » comme on dit, parce que l'homologie de position entre producteurs et consommateurs entraîne une homologie de schèmes de perception et de perception des positions à l'intérieur du champ. La même chose peut être dite évidemment de la critique ou des lieux de production (éditeurs, galeries, etc.). Pour dire les choses prosaïquement, lorsque le critique du *Figaro* juge une pièce de théâtre, il prend position non pas par rapport à la pièce de théâtre sur laquelle il écrit, mais par rapport à la prise de position de son collègue du *Nouvel Observateur* ; en un mot, il prend position à l'intérieur du sous-champ de la

40. *Les Règles de l'art, op. cit.,* p. 213.
41. *Ibid.,* p. 268.

critique. Mais ce faisant, il critique une pièce qui, elle aussi, prend position dans le sous-champ des productions. Les deux, enfin, s'adressent à un public qui est structuré selon les mêmes principes. Mieux encore, l'espace des prises de position propre à chaque sous-champ est structuré de manière homologue à l'espace des positions correspondant. C'est ce qui explique les effets d'harmonie préétablie entre producteurs, produits, critiques, lieux de production et public qui caractérisent les champs de production culturelle. Ce point est particulièrement important dans la théorie des champs parce qu'il permet d'éviter de prêter aux agents, et singulièrement aux producteurs, une intention consciente d'adaptation à un public dans la production de leur œuvre tout en expliquant pourquoi leur œuvre est objectivement adaptée à un public spécifique, sans pour autant recourir à une explication par le milieu ou la classe sociale. Il permet de « faire l'économie du cynisme », dit Bourdieu, quoique évidemment le cynisme puisse être présent dans certaines parties, commerciales notamment, de la production. Autrement dit, les effets d'harmonie ne recouvrent pas des rapports de causalité (une œuvre produite pour un public) mais des rapports d'homologie : une œuvre est produite contre d'autres œuvres (elle s'en distingue) et se trouve dans une position homologue avec un public qui se définit contre d'autres publics (il s'en distingue) ; une critique est écrite contre une autre critique et se trouve dans une position homologue à celle d'un public qui se distingue d'un autre public lisant la critique contre laquelle elle est écrite.

On ne peut qu'être frappé de la similitude de ce mode de raisonnement avec celui qu'adopte Lévi-Strauss dans un tout autre contexte, à savoir le totémisme. Il montre en effet dans *La Pensée sauvage* que la pensée totémique qui repose sur l'établissement de liens de parenté entre le monde animal et celui des hommes, si elle prend le langage de la parenté, n'établit pas de lien direct entre tel animal et tel clan (avec lequel il est relation de parenté) mais ne peut être comprise que par l'homologie entre les structures de classification des espèces animales et les structures de classification des clans. Autrement dit, pour Claude Lévi-Strauss, lorsque la pensée totémique affirme que tel clan a pour ancêtre le crocodile (ou tout autre animal), cette relation de parenté directe entre un animal et un clan n'est compréhensible que si on regarde la manière dont sont structurés l'ensemble des clans d'une part, et l'ensemble des animaux d'autre part. Ce n'est qu'alors qu'on peut découvrir que la pensée totémique établit une relation d'homologie entre les deux classifications, qui est bien plus importante et bien plus significative que la parenté entre un animal particulier et un clan particulier, même si c'est de cette manière que les sociétés qui connaissent des systèmes totémiques présentent les choses. Cette homologie de structure produit en effet une illusion de relation directe entre tel animal et tel clan, exactement de la même manière que l'homologie de structure entre l'espace des œuvres et l'espace des consommateurs dans le champ littéraire produit l'*illusio* que telle œuvre est directement destinée à tel public, que ce soit par le biais d'une rationalité téléologique ou par celui d'une rationalité causale. Il reste que, pour Lévi-Strauss, la pensée totémique correspond à une logique purement classificatoire, et c'est une pensée, tandis que pour Bourdieu la structure de champ correspond à une logique de distinction, et c'est une pratique. C'est sans doute sur ce point que l'on peut le mieux mesurer à la fois ce que Bourdieu doit à Lévi-Strauss et ce qui l'en distingue : « Mon travail n'aurait pas été possible si je n'avais pas essayé de tenir ensemble des problématiques traditionnellement considérées comme ethnologiques et des problématiques traditionnellement considérées comme sociologiques. Par exemple, les ethnologues posent depuis un certain nombre d'années le problème des taxinomies, des classifications [...]. Les sociologues, de leur côté, posent le problème des classes mais sans se poser le problème des systèmes de classement employés par les agents et du rapport qu'ils entretiennent avec les classements objectifs. Mon travail a consisté à mettre en relation de façon non scolaire [...] le problème des classes sociales et le problème des systèmes de classement. Et à poser des questions telles que celle-ci : est-ce que les taxinomies que nous employons pour classer les objets et les personnes, pour juger une œuvre d'art, un élève, des coiffures, des vêtements, etc. – donc pour produire des classes sociales –, n'ont pas quelque chose à voir avec les classements objectifs, les classes sociales entendues (grossièrement) comme classes d'individus liées à des classes de conditions matérielles d'existence[42] ? »

La question du rapport non pas entre sous-champs à l'intérieur d'un même champ, mais entre différents champs réellement autonomes, est plus complexe, quoique reposant encore sur des homologies de structure. Mais cette fois, le rapport d'homologie est déterminé par le degré d'autonomie qu'a acquis le champ spécifique, en particulier par rapport au champ du pouvoir. On a vu en effet que la structuration du champ littéraire au plus fort de son autonomie reposait sur une inversion de la hiérarchie établie au sein du champ du pouvoir : le succès commercial qui fournit des profits importants en termes de prestige et de revenus économiques dans le champ du pouvoir équivaut à une posi-

42. *Questions de sociologie, op. cit.*, p. 53.

tion dominée dans le champ littéraire. À l'inverse, la production pure, destinée aux seuls producteurs, assure un profit symbolique important dans le champ littéraire sans en assurer dans le champ du pouvoir. Il reste cependant que, dans la continuité, il n'en a pas toujours été ainsi, ne serait-ce que parce que, dans tous les champs, l'échelle de valeurs permettant de mesurer la position de chacun au sein du champ fait l'objet d'une lutte permanente de définition entre les acteurs du champ. Autrement dit, l'ensemble de valeurs spécifiques qui attribue de la valeur au capital spécifique et une position à chacun n'est jamais fixé une fois pour toutes pour un champ donné mais dépend de l'issue de la lutte entre acteurs du champ d'une part, mais aussi de la puissance relative d'échelles de valeurs hétéronomes au champ à l'intérieur de celui-ci. D'une certaine manière, chaque champ (et c'est particulièrement vrai du champ littéraire) est traversé par deux principes de hiérarchisation en lutte : un principe de hiérarchisation externe ou hétéronome qui applique au champ la hiérarchie dans le champ du pouvoir, et un principe de hiérarchisation interne ou autonome qui hiérarchise en fonction des valeurs propres au champ. La prédominance de l'un ou l'autre de ces principes est directement fonction de l'autonomie globale du champ spécifique par rapport au champ du pouvoir.

De l'ensemble de ces considérations, on déduit facilement que le champ du pouvoir n'est pas un champ comme les autres. Et de fait, il joue un rôle particulier dans la théorie bourdieusienne des champs. Sorte de méta-champ, de champ au second degré, il englobe les autres champs et en même temps fonctionne comme un champ en ce sens qu'il est structuré selon un principe de hiérarchisation et distinction auquel prennent part les agents. « Le champ du pouvoir est l'espace des rapports de force entre des agents ou des institutions ayant en commun de posséder le capital nécessaire pour occuper des positions dominantes dans les différents champs (économique ou culturel notamment). Il est le lieu de lutte entre détenteurs de pouvoirs (ou d'espèces de capital) différents qui, comme les luttes symboliques entre les artistes et les "bourgeois" du XIXe siècle, ont pour enjeu la transformation ou la conservation de la valeur relative des différentes espèces de capital qui détermine elle-même, à chaque moment, les forces susceptibles d'être engagées dans ces luttes[43]. » Le champ du pouvoir est donc le champ de luttes entre les champs de luttes spécifiques. Il ne se réduit pas au champ de luttes politiques au sens strict qui est désormais un champ de luttes spécifique et autonome (par la constitution d'une classe politique professionnalisée), mais il est un champ de lutte politique au sens large (ou anthropologique) en ce sens qu'il a pour enjeu non seulement le pouvoir, mais « le pouvoir sur les pouvoirs » des champs spécifiques, enjeu qui se détermine concrètement par la question de la valeur générale (dans le champ du pouvoir) accordée au capital spécifique reconnu comme légitime au sein de chaque champ. On verra que pour Bourdieu la lutte de légitimité entre les différents types de capital se réduit dans le champ du pouvoir à l'opposition entre deux grandes espèces de capital : capital économique et capital symbolique. Par ailleurs, l'issue de cette lutte détermine les taux de reconversion entre différents types de capitaux. Allant jusqu'au bout de cette logique, le sociologue montre d'ailleurs que de même que tous les champs se structurent sur une opposition entre dominants et dominés, de la même manière, le champ du pouvoir se structure sur une opposition entre champs dominants et champs dominés de telle sorte que la lutte

43. *Les Règles de l'art, op. cit.*, p. 352 et P. Bourdieu, *La Noblesse d'État*, Éditions de Minuit, Paris, 1980, p. 375.

au sein du champ du pouvoir est une lutte pour l'imposition d'un « principe de domination dominant[44] ».

À l'issue de cette réflexion théorique sur la notion de champ, il est nécessaire d'expliciter quelques propriétés des champs qui ne sont présentes qu'en filigrane, implicitement, dans les écrits de Bourdieu : tout d'abord, la corrélation entre les notions de champ et d'*habitus* met au jour une dialectique de l'ajustement de l'*habitus* aux propriétés du champ par le biais de corrections secondaires. La notion d'*habitus* permet en effet de mieux comprendre ce qui distingue héritiers et nouveaux entrants dans un champ : pour les uns, l'acquisition d'un *habitus* ajusté au champ se fait dès la prime enfance, pour les autres, elle implique un travail de re-naissance dans le champ et de redéfinition d'un *habitus* ajusté au champ. Cela implique souvent pour ces derniers l'usage de raccourcis commodes, de « ficelles » destinées à gagner du temps, qui les désigne précisément comme prétendants, voire parvenus. Reste que la domination des prétendants n'est jamais définitivement assurée parce que le champ est inscrit dans un processus de transformation historique qui dépend largement de l'issue des luttes de domination qu'il connaît (elle-même partiellement déterminée par l'autonomie du champ, l'issue des luttes de domination dans le champ du pouvoir, etc.). Dès lors, l'*habitus* des héritiers doit constamment s'ajuster au champ, même s'il est naturellement plus ajusté que l'*habitus* des prétendants, dans la mesure où, hérité, il se construit sur une tension entre un état passé et un état présent du champ. On le voit, l'*habitus* est loin d'être un destin, une fatalité entièrement déductible d'une condition de classe. Histoire incorporée, il est aussi créateur d'histoire, et particulièrement de l'his-

44. *La Noblesse d'État, op. cit.*, p.376

toire des champs. Par ailleurs, la constitution d'un champ et parallèlement la constitution d'un effet de champ ne sont possibles que par une clôture du champ sur lui-même. Si, historiquement, on trouve tous les degrés de clôture possibles, de la plus lâche (c'est le cas du champ littéraire avant la conquête de son autonomie) à la plus stricte lorsque est institué un *numerus clausus*, dans certaines professions libérales, par exemple, le degré de clôture du champ est corrélé à la fois à son autonomie par rapport au champ du pouvoir, au prix du ticket d'entrée qu'il impose aux nouveaux entrants (et donc au taux de change de reconversion du capital) et à l'intensité du principe de domination qui le structure. Enfin, ce que Bourdieu appelle le champ du pouvoir peut être rapproché d'un espace public national relativement clos – termes que n'emploie évidemment pas le sociologue parce qu'il ne correspond pas au contexte académique de sa recherche –, mais surtout d'un espace social où se situe l'ensemble des agents, structuré selon le même principe de distinction et de domination qui structure tous les autres champs. On le voit, la domination est, chez Bourdieu, un principe universel des relations sociales. Elle se retrouve dans tous les domaines de la vie sociale, à tous les niveaux, dans les circonstances les plus banales en apparence de la vie quotidienne. S'ensuit logiquement une interrogation sur les fondements anthropologiques d'une sociologie de la domination.

SOCIOLOGIE DE LA DOMINATION : CAPITAL ET LÉGITIMITÉ

Très tôt dans son œuvre, Pierre Bourdieu a utilisé la notion de domination, notion qui s'est enrichie par la suite de son utilisation dans la théorie des champs mais qui était déjà présente au moment de la rupture avec l'anthropologie classique, notamment sous la forme d'une critique de la théorie maussienne de l'échange réciproque. On sait que Marcel Mauss, dans l'*Essai sur le don* (voir encadré), montre comment les échanges économiques, les échanges de biens fondent et entretiennent le lien social dans la plupart des sociétés archaïques, l'activité économique (production, distribution et consommation de biens) étant immergée dans la structure sociale.

Marcel Mauss et l'*Essai sur le don*

À la fin du XIXe siècle et dans la première moitié du XXe, plusieurs ethnologues se sont intéressés aux pratiques économiques et plus particulièrement aux échanges de biens précieux au sein des populations qu'ils étudiaient. Plusieurs d'entre eux, en Australie, sur la côte ouest du Canada et en Nouvelle-Guinée rapportaient des pratiques contradictoires avec les théories de l'*homo œconomicus* comme individu calculateur. Les données collectées contredisaient notamment les déductions *a priori* que certains anthropologues diffusaient sur l'« économie de troc », forme primitive de l'échange commercial en l'absence de monnaie. Les découvertes de Malinowski, notamment sur la kula, en Nouvelle-Guinée, de Boas sur le potlatch chez les Kwakiutl, montraient que les échanges de biens précieux n'obéissaient pas à une rationalité strictement économique et restaient incompréhensibles si on ne les réintégrait pas dans les logiques sociales qui les commandaient.

C'est à partir de ces données que Marcel Mauss écrit l' *Essai sur le don*, sa production la plus importante du point de vue théorique. Mauss y reprend les données ethnographiques rapportées par Malinowski sur la kula et Boas sur le potlatch. Les comparant au *do ut des* latin, à la notion de gage chez les Germains, il en tire une philosophie générale des phénomènes économiques. Il montre notamment combien l'échange, basé sur la réciprocité, qui se décline sous la forme de trois obligations distinctes (temporellement surtout) : obligation de donner, de recevoir, et de rendre, constitue le ciment des sociétés archaïques. Théorie qui inspire profondément Claude Lévi-Strauss quand il élabore son approche structurale de la parenté.

Ainsi, à la suite d'ailleurs de Malinowski, Mauss critique le modèle de l'*homo œconomicus*, et s'intéresse en particulier, à l'appui de sa démonstration, à tous les systèmes d'échanges égalitaires de biens qui n'impliquent pas de profit économique. Ainsi la kula étudiée par Malinowski justement dans les Trobriand, du potlatch en Amérique du Nord, et que décrit Boas dans des articles célèbres, ces deux cas formant les exemples canoniques de ce qu'on a appelé l'« économie du don ». Celle-ci implique la présence de trois obligations distinctes, l'obligation de donner (sans esprit de retour), l'obligation de recevoir et l'obligation de rendre. Don et contre-don sont obligatoirement séparés par un intervalle de temps, et par une différence de nature sinon de valeur. Mauss montre bien que ces systèmes d'échange réciproque ne correspondent pas à une logique économique au sens strict, c'est-à-dire à une logique de maximisation des profits économiques puisque la valeur économique des objets échangés est à peu près équivalente. Malinowski avait d'ailleurs montré que le circuit économique d'échange des biens kula était isolé dans la mesure où les objets kula, objets de prestige pur (ce sont des bijoux de coquillages), ne peuvent être échangés que contre d'autres objets kula, et en aucun cas contre un bien de consommation courant (à l'exception bien sûr des artisans qui fabriquent les bijoux et les mettent en circulation). Si Bourdieu ne conteste pas cette notion de réciprocité dans l'échange économique, il montre en revanche que l'échange réciproque est créateur d'une relation de dépendance entre donateur et donataire et que, dès lors, il crée une relation dissymétrique entre les deux. En effet, si l'échange réciproque interdit (et ce serait absurde) de rendre immédiatement et instaure un délai entre le don et le contre-don, c'est que l'intervalle de temps est marqué par une dépendance du donataire envers le donateur ; dépendance qui prend la forme d'une domination parce que le donataire est l'obligé du donateur. C'est pourquoi le sens de l'échange réciproque est tout autre que l'égalité d'apparence qu'il affiche ; il est bien l'instauration d'une relation inégale entre deux individus dont l'un se soumet à l'autre. Le don apparaît donc comme une machine à transformer du capital économique en capital symbolique, et plus largement des inégalités arbitraires en inégalités légitimes. Comme le dit Bourdieu, « on possède pour donner, mais on donne aussi pour posséder[45] ». Il est clair en effet que ce passage progressif de la symétrie de l'échange économique à la dissymétrie de l'échange social est à l'origine de l'accumulation de pouvoir politique dans les sociétés archaïques, ou plus largement précapitalistes (on peut penser au clientélisme, par exemple), comme le montre Marshall Sahlins. Il est en tout cas à la source d'une « violence symbolique » qui s'exerce de manière plus ou moins intense et sous des formes différentes selon les sociétés. Aussi peut-on distinguer ces sociétés relativement peu différenciées, et/ou sans écriture, où les rapports sociaux sont des

45. *Le Sens pratique, op. cit.*, p. 218.

rapports de dépendance personnelle, s'exerçant d'individu à individu. La violence symbolique de la domination y est plus intense et en même temps plus cachée parce que précisément plus intense, tant les rapports sociaux ne peuvent s'établir sur la base d'un rapport de force pur et nu, mais nécessairement légitimé, c'est-à-dire voilé. Dans les sociétés plus différenciées, la violence symbolique s'est sédimentée dans des institutions permettant aux dominants de reproduire la domination sans la recréer à chaque instant. L'écriture d'une part, la création d'institutions plus largement comme des titres et des postes socialement garantis apparaissent donc comme des moyens d'accumulation primitive du capital symbolique dégageant les dominants des contraintes inhérentes à la domination personnelle, et leur permettant de se contenter de laisser faire la reproduction socialement garantie par les institutions.

Le concept bourdieusien de domination s'insère donc dans une chaîne conceptuelle qui comprend la notion de lutte, de capital, celle de légitimité et de violence symbolique. Ces concepts, empruntés à Marx et Weber, révèlent la présence au sein de l'œuvre de Bourdieu d'influences conceptuelles que l'on a dites opposées mais qui, retravaillées par le sociologue français, sont peu reconnaissables en tant que telles. Ainsi, la notion de domination chez Bourdieu recouvre en partie son équivalent wébérien (voir encadré p. 80), mais s'inscrit aussi dans une autre dimension de l'analyse sociologique qui n'est pas présente chez Weber : on voit bien dans les analyses du *Sens pratique* qu'elle recouvre une capacité à se faire obéir ou, pour reprendre les termes du sociologue allemand, « la chance », pour des ordres spécifiques (ou pour tous les autres), de trouver obéissance de la part d'un groupe déterminé d'individus[46] ». Cette chance est garantie, chez Bourdieu comme chez Weber, par la notion de légitimité qui, venant renforcer les motivations de l'obéissance habituellement invoquées – coutume et intérêt –, assure une stabilité beaucoup plus grande à l'obéissance : « l'ordre que l'on respecte uniquement pour des motifs rationnels en finalité est en général beaucoup plus instable que si l'orientation se fait purement et simplement en vertu de la coutume, en raison du caractère routinier du comportement ; c'est même là, de toutes les espèces d'attitudes intimes, la plus courante. Néanmoins cet ordre est encore incomparablement moins stable que celui qui s'affirme grâce au prestige de l'exemplarité et de l'obligation, je veux dire de la légitimité[47] ». La légitimité relève donc de l'intériorisation du rapport de force, de la subjectivation d'un ordre social objectif. Elle permet de comprendre que l'action des agents soit conforme à l'ordre dans lequel elle s'inscrit sans que cette conformité à l'ordre – l'obéissance – soit nécessairement motivée par l'intérêt matériel ou la peur de la sanction. Ainsi, celui qui désobéit n'est pas seulement retenu par la « peur du gendarme », pour aller vite, mais aussi par le sentiment de commettre une faute, c'est-à-dire d'aller à l'encontre des valeurs auxquelles il croit. Cette croyance en des valeurs spécifiques attachée à un ordre déterminé est ce que Weber appelle une « rationalité de l'action en valeur », qui se distingue de la « rationalité en finalité ». Si Weber accorde une certaine importance à la notion de lutte, le champ de luttes est donc rarement un champ de bataille (et même dans ce cas, le comportement des combattants est réglé). La domination des

46. Max Weber, *Économie et société,* collection Agora, éditions Pocket, Paris, 1995.
47. *Ibid.*

uns sur les autres est garantie par le sentiment chez les dominés que la domination est légitime, qu'elle est partie prenante d'un ordre qui est en même temps un ordre de valeurs. C'est ce qui fait que la domination repose rarement sur la force brute, quelquefois sur l'intérêt, mais dans la plupart des cas, sur le consentement des dominés eux-mêmes. De ce point de vue, la sociologie bourdieusienne se situe dans le prolongement de celle définie par Weber : l'approche des relations sociales comme « lutte » – sous la forme la plus répandue de la concurrence –, l'intérêt central de la notion de domination dans la compréhension de ces relations sociales, l'articulation de la légitimité comme rationalité en valeur à la domination, et plus largement la volonté de définir la sociologie sur des bases différentes de celles d'une physique sociale, c'est-à-dire en prenant en compte le sens subjectif que les agents donnent à leur action, en sont autant de preuves. Mais l'introduction de notions propres à Bourdieu, élaborées au contact de problématiques relativement étrangères au sociologue allemand, appelle une redéfinition au moins succinte de ces concepts.

Le concept de domination chez Weber

Le concept de domination constitue un élément central de la sociologie wébérienne. Définie comme « la chance, pour des ordres spécifiques [...], de trouver obéissance de la part d'un groupe déterminé d'individus », la domination chez Weber se distingue radicalement de l'influence et de la puissance. En effet, tout véritable rapport de domination comporte, au minimum, une certaine volonté d'obéir, « par conséquent un intérêt, extérieur ou intérieur à obéir ». Précisons avec Weber que « l'obéissance signifie que l'action de celui qui obéit se déroule, en substance, comme s'il avait fait du contenu de l'ordre la maxime de sa conduite, et cela simplement de par le rapport formel d'obéissance, sans considérer la valeur ou la non-valeur de cet ordre ».

Pour Weber, plusieurs facteurs peuvent être à la source de cette obéissance, de l'habitude à la rationalité en valeur, en passant par l'intérêt. Mais l'élément central de la sociologie de la domination est la notion de légitimité. En effet, l'expérience montre que toutes les dominations cherchent à éveiller le sentiment de leur propre légitimité. Le principe de légitimité sur lequel repose la domination va déterminer un type (ou idéal-type) de domination. Weber distingue trois grands ordres de domination légitime : celle qui repose sur la tradition, celle qui s'appuie sur la rationalité ou légalité, celle enfin qui repose sur le charisme d'une personne. Il est clair qu'on ne trouve aucun de ces types à l'état pur dans l'histoire. Leur vertu est simplement heuristique en permettant d'établir les principes sur lesquels s'appuie la domination pour établir sa légitimité.

Ainsi le concept de domination implique chez Bourdieu autre chose que l'obéissance. Elle désigne d'abord l'essence même de rapports sociaux dissymétriques et inégaux, et plus particulièrement de relations structurales dont la définition pratique fusionne en quelque sorte les influences de l'anthropologie structurale et de la sociologie wébérienne. On a là un des points où se dévoilent les effets d'une volonté de « tenir ensemble » problématiques ethnologiques et problématiques sociologiques. Si l'anthropologie structurale reste aveugle aux forces et rapports de force qui s'exercent dans l'univers social, la sociologie classique ignore la logique proprement classificatoire qui structure les rapports entre classes. Par ailleurs, l'enjeu de la lutte n'est pas seulement pour Bourdieu d'obtenir l'obéissance d'autres individus ou groupes, ni même seulement de conquérir et conserver une position dominante dans le rapport de domination, mais – et c'est ce qui est nouveau par rapport à Weber – de redéfinir l'enjeu même de la lutte, à savoir l'ensemble de valeurs sur lesquelles s'appuie la légitimité de la domination. C'est pourquoi Bourdieu parle moins de légitimité que de légitimation dans la mesure où la légitimité, la définition du type de légitimité légitime fait l'objet d'une lutte constante au sein du champ. Définie par l'état des rapports de force au sein du corps social, qui est lui-même le résultat d'une histoire de ces rapports de force, la légitimité évolue constamment comme travail de légitimation d'une domination changeante. Plus concrètement, la lutte se déroule entre les deux fractions opposées qui composent la classe dominante, chacune tentant d'imposer ses propres valeurs comme mode légitime de domination. On verra plus loin que ces deux fractions de classe se définissent, l'une par le pouvoir économique, l'autre par le pouvoir intellectuel. Grossièrement, la lutte qui les oppose définit deux principes concurrents d'établissement d'une hiérarchie sociale : par le capital économique ou par le capital scolaire ou, plus largement, intellectuel. L'articulation de la domination et du travail de légitimation qui l'accompagne a pour effet de redéfinir la violence qu'engendre toute domination. Bourdieu et Weber posent comme axiome sociologique l'impossibilité de ne faire reposer la domination que sur la violence physique. Comme le dit bien Rousseau, « le plus fort n'est jamais assez fort pour être toujours le maître, s'il ne transforme sa force en droit et l'obéissance en devoir[48] ». La violence qui

48. J. J. Rousseau, *Du contrat social*, 3.

s'exerce dans la domination est donc essentiellement violence symbolique, c'est-à-dire « violence douce, invisible, méconnue comme telle, choisie autant que subie[49] ». La violence symbolique, plus insidieuse que la violence pure, est ce qui contraint les dominés à accepter leur propre domination par intériorisation des valeurs définies par les dominants. Là où la violence pure met en péril la domination en déclenchant la révolte des dominés ou leur fuite (*voice* ou *exit*), la violence symbolique est au contraire ce qui lui permet de durer dans le temps en s'assurant la bonne volonté des dominés qui prennent une part active à leur domination. Ainsi, « tout pouvoir de violence symbolique, *i.e.* tout pouvoir qui parvient à imposer des significations et à les imposer comme légitimes en dissimulant les rapports de force qui sont au fondement de sa force, ajoute sa propre force, *i.e.* proprement symbolique, à ces rapports de force[50] ». L'invisibilité de la domination aussi bien d'ailleurs aux yeux des dominants que des dominés est assurée par la diffusion d'un corpus de croyances, de connaissances et de règles non écrites, non formulées et partagées entre tous les agents. Cet ensemble, qui relève de l'opinion commune, de la *doxa*, est précisément ce qui fait obstacle à la prise de conscience par les agents de la domination qui s'exerce dans les rapports sociaux. Jamais énoncée comme telle, sauf spontanément dans l'entretien d'enquête, la *doxa* peut aussi être appréhendée comme un ensemble de règles du jeu qui assure que tous les participants participent au même jeu, et surtout accordent le même intérêt, la même valeur à l'enjeu du jeu. De ce point de vue, la domination se caractérise aussi par la distri-

49. *Le Sens pratique, op. cit.*, p. 219.
50. Pierre Bourdieu et Jean-Claude Passeron, *La Reproduction*, Minuit, Paris, 1970 p. 18.

bution inégale du pouvoir de modifier la *doxa*, c'est-à-dire, très concrètement, de redéfinir les règles implicites du jeu en fonction de ses propres intérêts. On verra que cette propriété de la domination a une importance primordiale dans la logique de distinction qui régit le corps social. Dans ses travaux sur l'étude de champs particuliers, Pierre Bourdieu accorde une importance toute particulière à l'exposition de la *doxa* spécifique au champ. Ce travail d'explicitation de l'implicite, de questionnement des évidences, d'objectivation du subjectif est un élément important de l'enquête, mais pas toute l'enquête. En effet, objectiver la *doxa*, c'est exposer les règles du jeu qui assurent la reproduction de la domination et restituer l'expérience subjective des agents de leur inscription dans le champ. Mais l'enquête ne peut se résumer à cette expérience dans la mesure où la *doxa* voile la domination aux yeux des agents. Elle en est d'ailleurs souvent la négation : que l'on songe à l'idéologie égalitaire du don dans les sociétés précapitalistes qui cache l'inégalité de pouvoir que crée le don, au rôle de l'« inspiration » et du « génie » dans le champ littéraire qui cache les différences de position dans le champ ou encore à la valorisation de l'« intelligence » et du « mérite » dans l'institution scolaire qui dissimule les mécanismes de reproduction qui sont à l'œuvre. Comme opinion commune à tous les agents qui prennent part au même jeu, la *doxa* est donc ce qui leur apparaît comme « naturel », « évident » ; c'est une sorte de sens commun qui recouvre les réalités de fonctionnement du champ. Comprendre le mode de fonctionnement d'un champ, ou plus simplement des rapports sociaux, c'est donc à la fois objectiver la *doxa*, mais aussi reconstituer la structuration du champ en examinant la distribution de capital entre les agents et les trajectoires des agents au sein du champ. Plus encore, l'objectivation de la *doxa* ne serait que la reproduction mimétique de celle-ci si elle n'était confrontée aux propriétés objectives du champ dans lequel elle s'inscrit et pour lequel elle fonctionne. L'originalité de l'approche bourdieusienne tient en grande partie dans cette combinaison entre deux méthodes qui sont traditionnellement employées alternativement par les sociologues. Comme il a déjà été dit, la sociologie pour Bourdieu ne se réduit pas à une physique sociale, mais pas non plus à une herméneutique de l'expérience subjective du monde.

Un des facteurs objectifs permettant le mieux de cerner la domination à l'œuvre dans un champ est le degré d'accumulation du capital spécifique à un champ. Les rapports sociaux se définissent chez Bourdieu par la lutte entre agents pour l'accumulation du capital spécifique assurant une position dominante. Cette lutte se manifeste par la mise en œuvre de stratégies, pour la plupart inconscientes, de maximisation des profits spécifiques. On le voit, Bourdieu, et cela lui a été reproché[51], utilise souvent un vocabulaire économique pour décrire les phénomènes de domination en même temps que le comportement des agents dans les structures de champ. Plus particulièrement, la mise en corrélation de la notion de domination avec celle de capital, ou plus précisément d'accumulation du capital, permet de discerner dans la sociologie bourdieusienne une influence certaine de l'œuvre de Marx. S'il est un nombre important de points sur lesquels la sociologie bourdieusienne peut se réclamer de Marx[52], il reste que sa position par rapport à la sociologie marxiste se définit essentielle-

51. Notamment par Alain Caillé. Pour une étude plus détaillée de cette critique, on se reportera à la deuxième partie du livre.

52. Cf. Loïc Wacquant « Notes tardives sur le "marxisme" de Pierre Bourdieu », art. cit., On trouvera une discussion des rapports entre Marx et Bourdieu à propos de la critique formulée par Jeffrey Alexander dans la deuxième partie de l'ouvrage.

ment par l'essai d'une extension de la logique économique au sens strict aux biens symboliques. Ce renversement de « la pratique de l'économie » à l'« économie de la pratique » l'a amené à tenter de définir une économie des biens symboliques, et finalement, une économie générale des pratiques, dont l'économie au sens strict ne serait qu'une partie. Se positionnant contre l'évolution tendancielle de la sociologie marxiste à résoudre l'économie des biens symboliques par l'économie des biens matériels, Bourdieu cherche au contraire à étudier concurremment leur mode de fonctionnement. Sans entrer dès maintenant dans une discussion sur les rapports entre la théorie marxiste de l'économie et la sociologie bourdieusienne, on peut cependant dire que le concept de lutte qui se trouve au cœur des deux théories (mais aussi de celle que propose Weber) s'appuie chez Marx essentiellement sur la distribution du pouvoir économique comme pouvoir d'appropriation des richesses produites par le travail, tandis que chez Bourdieu, elle se déploie dans toutes les régions de l'espace social et dans toutes les dimensions des relations sociales. Autrement dit, pour le sociologue, le pouvoir des hommes sur les autres hommes n'est pas nécessairement médiatisé comme chez Marx par les richesses ou le travail, mais s'exerce le plus souvent directement, à travers l'imposition douce de modes de représentation et de schèmes conceptuels. Plus encore chez Bourdieu, le capital économique ne procure du pouvoir que pour autant qu'il est changé en capital symbolique, ou spécifique : la domination qui s'établit dans le corps social n'est dès lors plus unidimensionnelle, mais variable, c'est-à-dire plus ou moins efficace selon le degré d'autonomie que les champs spécifiques ont conquis par rapport au champ du pouvoir, ceci déterminant le taux de change du capital économique en capital symbolique qui seul donne du pouvoir au sein d'un champ. Il ne s'agit donc pas de transférer sans médiation les logiques économiques aux logiques symboliques, ni de déterminer les unes par les autres, mais au contraire de les réintégrer dans une « économie des pratiques » qui les englobe. C'est en s'appuyant sur certaines positions du Marx des *Thèses sur Feuerbach* que Bourdieu définit d'ailleurs son projet, contre la limitation des philosophies matérialistes, dont le défaut est d'avoir délaissé l'appréhension de la connaissance comme activité à l'idéalisme[53]. Chez Bourdieu donc, plusieurs types de capital coexistent et participent pleinement à la mise en place de la domination. Initialement, le sociologue reconnaît deux grands types de capital : capital économique et capital symbolique. La notion de capital symbolique renvoie dans *Le Sens pratique* très nettement à la violence symbolique dont il est le pendant. Étudiant en détail les mécanismes d'échanges de biens dans la société kabyle, Bourdieu montre comment ces échanges ont pour fonction de transformer un capital économique en « crédit » social qui peut alors être appelé capital symbolique. Le capital symbolique se définit comme un capital de crédit dont l'individu ou le groupe dispose au sein du corps social, « c'est-à-dire une espèce d'avance, d'escompte, de créance, que la croyance du groupe peut seule accorder à ceux qui lui donnent le

53. « Le principal défaut, jusqu'ici, du matérialisme de tous les philosophes – y compris celui de Feuerbach – est que l'objet, la réalité du monde sensible n'y sont saisis que sous la forme d'objets ou d'intuitions, mais non en tant qu'activité humaine concrète, non en tant que pratique, de façon subjective. C'est ce qui explique pourquoi l'aspect actif fut développé par l'idéalisme, en opposition au matérialisme – mais seulement de façon abstraite, car l'idéalisme ne connaît naturellement pas l'activité réelle, concrète, comme telle. » Marx, *Thèses sur Feuerbach,* cité en *incipit* de l'*Esquisse d'une théorie de la pratique, op. cit.*

plus de garanties matérielles et symboliques ». De la même manière, dans *Les Règles de l'art* montre-t-il que le capital économique d'un producteur, d'un éditeur ou d'un marchand de tableaux ne peut procurer des profits spécifiques que reconverti en capital symbolique au sein d'un champ autonome. Le capital symbolique apparaît donc comme le capital de crédit dont dispose l'agent au sein d'un champ (ou du corps social lorsque les champs ne sont pas autonomes) auprès des autres agents du champ et qui lui donne le pouvoir de donner de la valeur aux biens spécifiques du champ. Le rapprochement entre la société précapitaliste kabyle et le champ de l'art n'est d'ailleurs pas fortuit dans la mesure où, dans l'un et l'autre cas, l'économie des pratiques ne s'accomplit qu'au prix d'un refoulement de la logique d'intérêt, de « l'intérêt nu » pourtant concrètement à l'œuvre. Ainsi, de même que la violence symbolique est une violence refoulée, euphémisée, qui se masque derrière l'évidence de la *doxa*, de même le capital symbolique est-il un capital masqué qui, se donnant à voir comme une aura « naturelle », masque les pratiques stratégiques dont il est l'objet.

À d'autres étapes de son travail, Pierre Bourdieu procède à des subdivisions plus fines entre les espèces de capital. Ainsi, en droit, tout champ autonome repose sur un capital spécifique, seul légitime au sein du champ. Sans entrer dans le détail de ces différentes espèces, puisqu'il y a autant d'espèces de capital qu'il y a de champs, on remarquera d'abord que toute espèce de capital peut fonctionner comme capital symbolique (c'est même sa destination première), et ensuite que les différents champs autonomes au sein de l'activité sociale entretiennent entre eux des rapports variés. Leur autonomie est toujours relative en ce sens qu'ils sont englobés dans un espace des positions sociales au sein duquel ils se positionnent. Le champ du pouvoir notamment est le lieu d'affrontement entre les différents champs pour la définition d'un mode de domination dominant ou, ce qui revient au même, pour la reconnaissance par tous d'un type légitime de légitimité. Ce n'est pas sans conséquence sur les rapports qu'entretiennent entre elles les différentes espèces de capital et notamment sur les taux de conversion entre types de capital. Le degré d'autonomie d'un champ notamment par rapport au champ du pouvoir détermine en grande partie le taux de reconversion entre différents types de capitaux, en faisant varier le coût du ticket d'entrée dans le champ. On a vu pour le champ littéraire qu'au plus fort de son autonomie le taux de change du capital économique en capital spécifique était particulièrement défavorable. À l'opposé, dans les périodes historiques où le champ littéraire est fortement dépendant du champ du pouvoir, le capital économique (ou politique) se transforme aisément en capital spécifique. Le taux de change qui régit la reconversion d'un capital en un autre est dépendant de l'autonomie globale du champ par rapport au champ du pouvoir, mais aussi de l'état du rapport de force entre les différents champs au sein du champ du pouvoir.

C'est d'une autre approche que provient la dernière subdivision entre espèces de capital utilisée par Bourdieu. La longue enquête sur les goûts et pratiques culturels des Français qui a conduit à la publication de *La Distinction* s'articule à une réflexion méthodologique lourde sur la question de la constitution ou plutôt de la construction sociologique des classes sociales. Cette réflexion, qui sera détaillée ultérieurement, conduit le sociologue à ne pas se contenter d'une seule dimension dans la construction des classes, l'habituel volume global de capital, mais à ajouter deux autre dimensions : d'une part la structure patrimoniale du capital détenu, et d'autre part l'évolution dans le temps des deux variables précédentes, définissant une trajectoire sociale. Si on se concentre sur la structure patrimoniale du capital, on repère « deux ensembles de positions homologues. Les fractions dont la reproduction dépend du capital économique, le plus souvent hérité, industriels et gros commerçants au niveau supérieur, artisans et petits commerçants au niveau moyen, s'opposent aux fractions qui sont les plus démunies (relativement bien sûr) de capital économique et dont la reproduction dépend principalement du capital culturel, professeurs au niveau supérieur, instituteurs au niveau moyen[54] ». Ainsi les classes sociales, saisies dans un premier temps par le volume de capital global, se divisent-elles en fractions de classe saisies par la structuration du capital. Il faut comprendre que dans la logique de la réflexion méthodologique qui accompagne *La Distinction*, cet espace à deux dimensions (en théorie trois avec les trajectoires) est construit à partir du « souci de recomposer les unités les plus homogènes du point de vue des conditions de production des *habitus*, c'est-à-dire sous le rapport des conditions élémentaires d'existence et des conditionnements qu'elle impose[55] ». Quoi qu'il en soit, Bourdieu représente systématiquement l'espace social sous la forme d'un diagramme à deux dimensions, alliant en abscisse le volume global de capital et en ordonnée la distribution de ce capital entre capital économique et capital culturel. Comme il le montre bien dans *La Noblesse d'État*, la lutte de domination au sein de la classe dominante et corrélativement au sein du champ du pouvoir se joue entre ces deux espèces de capital et détermine ponctuellement le taux de reconversion entre les deux espèces. La position historiquement dominée du capital intellec-

54. P. Bourdieu, *La Distinction, op. cit.*, 1979, p. 129.
55. *Ibid., op. cit.*, p. 128.

tuel par rapport au capital économique implique que les fractions de classe à plus haut capital culturel soit des fractions dominées de la classe dominante. Cette situation est le produit d'un rapport de force historiquement constitué au sein du champ du pouvoir, car faisant constamment l'objet d'une contestation et d'une lutte. Enfin, la position dominée des « intellectuels » au sein de la classe dominante explique en partie leur propension ambiguë à s'estimer solidaires des classes dominées. On voit donc combien les notions de domination, de capital et de légitimité sont liées dans la sociologie bourdieusienne. Ce noyau conceptuel se trouve à la croisée des influences des théories des fondements du pouvoir proposées par Durkheim (dans une moindre mesure), Marx et Weber, influences explicitement revendiquées par le sociologue à plusieurs reprises[56].

On évoquera, pour clore cette étude sur la notion de domination, la rémanence dans l'œuvre bourdieusienne d'une autre forme de domination, transversale à toutes les autres dominations et se combinant à elles, à savoir la domination masculine. Le thème est abordé en passant dans un nombre considérable d'écrits du sociologue, que ce soit sur la société kabyle, ou dans *Le Sens pratique* et *La Distinction*, ou encore dans ses travaux sur la reproduction scolaire. C'est que la domination masculine est transversale aux autre dominations et constitue peut-être l'archétype de la domination telle que la conçoit Bourdieu. Ce n'est que très récemment qu'il y a consacré un ouvrage[57], ouvrage qui tient autant d'ailleurs de l'essai politique que de la sociologie. Outre l'exposition à laquelle il se livre, *La Domi-*

56. *La Reproduction, op. cit.*, p. 18. *Questions de sociologie, op. cit.*, p. 26.
57. P. Bourdieu, *La Domination masculine,* Seuil, Paris, 1998.

nation masculine est intéressant ici car synthétisant les différents mécanismes de la domination en général. Il établit notamment un lien logique très précis avec la notion d'*habitus*, tandis que l'analyse des mécanismes de domination étudiés dans d'autres contextes est plutôt liée aux notions de champ et de capital. De ce point de vue, la domination masculine ne repose pas essentiellement sur ces notions, puisqu'elle est trans-champ, mais dévoile plutôt les processus par lesquels la domination se masque en se naturalisant – en se « biologisant » ici – et s'intériorise en même temps qu'elle s'incorpore, aussi bien chez les dominants que les dominées.

Reprenant pour la plupart les données ethnographiques qu'il avait collectées en Kabylie, Bourdieu montre comment, dans cette société, la différenciation des sexes est immergée dans une cosmologie par l'homologie entre une multitude d'oppositions conceptuelles et pratiques (homme/femme ; haut/bas ; droite/gauche ; sec/humide ; dur/mou, etc.) qui ont pour effet de se renforcer mutuellement, et surtout d'inscrire la différence des sexes et singulièrement la domination masculine dans un ordre normal des choses qui ne se conteste pas, ne se discute pas puisqu'il est « naturel ». On retrouve là la *doxa* consubstantielle à la notion de domination, *doxa* qui prend dans l'indifférenciation des représentations du monde une force particulière puisqu'elle permet à la domination masculine de s'inscrire dans les choses (et dans les corps on le verra), et comme telle de fonctionner comme un schème *a priori* de la perception projetant sur toute perception la division sexuelle : division sexuelle du travail bien sûr, mais aussi du temps et de l'espace, division sexuelle des objets et de leur qualité. Dès lors, « la force de l'ordre masculin se voit au fait qu'il se passe de justification : la vision androcentrique s'impose comme neutre et n'a pas besoin de s'énoncer dans des discours visant à le légitimer. L'ordre social fonctionne comme une immense machine symbolique tendant à ratifier la domination masculine sur laquelle il est fondé[58] ».

Par ailleurs, l'imposition de la domination masculine est d'autant plus efficace qu'elle est incorporée. L'incorporation qui est effectuée dès la petite enfance dans l'éducation se déroule à plusieurs niveaux : elle procède à une reconstruction sociale des différences anatomiques qui passe par une symbolisation des organes sexuels suivant les lignes de force des couples d'opposés déjà évoqués. La reconstruction sociale des différences anatomiques joue un rôle particulièrement important dans l'invisibilité de la domination masculine dans la mesure où elle lui donne une justification qui tient de l'ordre de la nature. Plus encore, elle lie irrémédiablement l'acte de connaissance (de son propre corps) à un processus de reconnaissance de la domination. Du caractère largement répandu, bien au-delà de la société kabyle, de la reconstruction sociale des sexes, on peut en avoir des indices nombreux par exemple dans les traités médicaux qui jusqu'à la Renaissance appréhendent le vagin comme un phallus inversé, comme un organe sexuel masculin organisé autrement. De la même manière, Bourdieu n'a nul mal à montrer, à la suite des nombreuses études produites par les *gender studies* dans les universités américaines notamment, combien l'acte sexuel est pensé et représenté comme un rapport de domination qui s'appuie sur les couples d'opposés actif/passif, dessus/dessous, etc. Ainsi la libido masculine est-elle essentiellement une *libido dominandi* comme en témoigne le langage familier qui établit sans médiation des équivalences symboliques

58. *La Domination masculine, op. cit.*, p. 15.

entre la possession sexuelle et la domination. Enfin, pour en revenir à la société kabyle, la perception de l'engendrement reproduit fidèlement ce principe de domination dans la mesure où la part masculine dans le processus est perçue comme un acte, discontinu et extraordinaire (la fécondation), tandis que la part féminine est perçue dans la continuité passive de l'attente (la gestation).

Par ailleurs, l'incorporation de la domination masculine se donne à voir dans l'éducation corporelle qui détermine les attitudes du corps, fortement différenciées entre hommes et femmes. On n'en finirait pas de détailler les injonctions explicites ou implicites qui engagent les hommes à se tenir « droits », à faire front, à faire face, à occuper l'espace, et les femmes à l'opposé à « se faire petites », à être « discrètes », humbles, effacées dans leur attitude corporelle. Le vêtement, véritable prolongement, « pense-bête » de l'éducation des corps vient à tout moment rappeler aux femmes leur position dominée en leur remettant en mémoire les impératifs de la tenue et de la retenue, morale et physique, qu'implique le fait de garder les jambes serrées, de marcher à petits pas, de faire des gestes mesurés, etc., ce qui les exclut *de facto* d'un ensemble d'activités réservées aux hommes. La violence symbolique qu'accompagne tout phénomène de domination a, on l'a vu, pour particularité de conduire les dominés à chérir la domination qui les domine, à s'y attacher comme à ce qui leur donne leur valeur. « Violence douce » et invisible est sans doute à l'opposé de la violence tout court, mais elle n'en est pas moins efficace. C'est ainsi que dans le cas de la domination masculine, les valeurs de « virilité » et de « féminité » produisent un attachement affectif des uns et des autres au principe de la domination : modestie, douceur, discrétion, petitesse pour le dernier pôle de l'opposition, grandeur, force, assurance pour le premier conduisent les femmes à ne s'accorder de valeur que pour autant qu'elles adoptent un comportement dominé et à n'accorder de valeur aux hommes que pour autant qu'ils adoptent un comportement dominant. Ainsi, la domination masculine donne lieu à des *habitus* différenciés, eux-mêmes liés à une *hexis* corporelle, qui a des conséquences fort importantes dans la détermination de la division sexuelle du travail. Les « qualités » féminines ou que requiert la féminité ne peuvent conduire qu'à se cantonner aux tâches les plus humbles, les plus répétitives (selon la logique de la division entre l'ordinaire et l'extraordinaire, les hommes « prennent les grandes décisions »), les plus domestiques aussi (selon un principe de division sexuelle de l'espace largement répandu), les plus invisibles, et plus encore, à désirer accomplir ces tâches, dans la mesure où la force de l'*habitus* repose avant tout sur un *amor fati* qui conduit à refuser ce qui est refusé et à vouloir ce qui est destiné.

Le principe de l'échange matrimonial enfin est à la fois l'agent et le signe le plus évident et le plus efficace de la domination masculine en tant qu'il établit une distinction entre sujet et objet de l'échange matrimonial qui s'ancre dans la différenciation des genres : dans la société kabyle, comme dans nombre de sociétés traditionnelles, ce sont toujours les femmes qui s'échangent entre lignées masculines et non le contraire. De ce point de vue, *Les Systèmes élémentaires de la parenté* entérinent la vision androcentrique de l'échange matrimonial sans questionnement aucun sur la violence qu'implique l'instrumentalisation des femmes dans cet échange : « Le tabou de l'inceste dans lequel Lévi-Strauss voit l'acte fondateur de la société, en tant qu'il implique l'impératif de l'échange entendu comme communication égale entre les hommes, est corrélatif de l'institution de la violence par laquelle les femmes sont niées en tant que sujets de l'échange et de l'alliance qui s'instaurent à travers elles, mais en les réduisant à l'état d'objets, ou mieux, d'instruments symboliques de la politique masculine : étant vouées à circuler comme des signes fiduciaires et à instituer ainsi des relations entre les hommes, elles sont réduites au rang d'instruments de production ou de reproduction du capital symbolique et social[59]. » La constitution des femmes en objets symboliques opérée dans l'échange matrimonial se retrouve à d'autres niveaux, par exemple dans le regard masculin qui constitue l'être féminin comme un être-perçu. Cette réduction est accordée à l'*habitus* féminin qui est à la source de l'expérience du corps féminin comme corps-pour-autrui, inséparable d'une perpétuelle insécurité physique qui se manifeste dans l'écart entre la représentation sociale du corps légitime et la perception individuelle du corps. On est ici à la source d'une aliénation majeure, qui relève aussi de la violence symbolique : la connaissance que les femmes ont de leur propre corps est en même temps la reconnaissance d'une dépendance au regard masculin, et donc nécessairement la reconnaissance (mais méconnue comme telle) de la domination masculine.

L'intériorisation et l'incorporation de la domination masculine permettent donc de parler d'un « *habitus* féminin » avec toutes ses conséquences, en termes notamment d'ajustement des attentes subjectives aux conditions objectives que l'on connaît, les différences entre éducation des garçons et éducation des filles, entre les jeux des garçons et jeux des filles entraînent chez ces dernières une auto-limitation des prétentions professionnelles bien connue. Dans la mesure où les

59. *La Domination masculine, op. cit.*, p. 49.

postes les plus importants sont des postes de décision qui font l'objet d'un jeu de pouvoir, il est clair que leur obtention nécessite la mise en œuvre d'une *libido dominandi* qui reste l'apanage de l'*habitus* masculin. Les rares femmes à y prétendre ou à occuper ces postes sont soumises à une « double contrainte » qui leur enjoint d'abandonner une part de leur féminité, c'est-à-dire de refouler l'*habitus* féminin et de mettre en question les fondements de l'évaluation de leur propre valeur ou de paraître déplacées, inadaptées à des postes objectivement accordés à l'*habitus* masculin. Et de fait, l'*habitus* féminin engage les femmes à ne pas prendre part aux jeux de pouvoir masculins, non parce que ceux-ci leur sont explicitement fermés (ce qui peut être le cas dans les sociétés traditionnelles), mais parce qu'elles ne ressentent pas d'intérêt pour les jeux de pouvoir. Cet intérêt relève de l'*illusio* spécifique de l'*habitus* masculin, *illusio*, investissement personnel sur lequel elles ne peuvent que jeter un regard distant, oscillant entre le scepticisme vis-à-vis de comportements qui leur apparaissent comme des jeux, et l'adhésion au second degré, par procuration, à ces mêmes jeux : « Exclues des jeux de pouvoir, elles sont préparées à y participer par l'intermédiaire des hommes qui y sont engagés, qu'il s'agisse de leur mari, ou [...] de leur fils[60]. » On saisit là toutes les limites des deux pôles opposés du combat féministe, balançant toujours entre une position universaliste qui ne peut qu'instituer en norme universelle l'*habitus* masculin (et le renforce d'une certaine manière), et la position différencialiste qui instituant en essence le produit d'une relation historique de domination en ignore précisément l'historicité.

60. *Ibid.*, p. 86.

De tous les types de domination, la domination masculine est celle qui a fait l'objet du travail le plus constant et le plus intensif de déshistoricisation. On a vu que l'oubli de l'histoire était une caractéristique commune à la domination et à l'*habitus* en même temps, parce que l'un et l'autre sont soumis à un travail de légitimation. L'*habitus* tire ses forces de celles de l'évidence, et est souvent perçu comme relevant du « naturel », de ce qu'on ne remet jamais en question parce que « cela a toujours été ainsi ». Bourdieu a montré, on l'a vu, que l'*habitus* pouvait être compris comme étant déterminé en grande partie par des rapports de force historiques, ou mieux, qui ont une histoire. Mais les schèmes perceptifs et d'action constituant l'*habitus* sont rarement perçus par l'agent comme historiques, sans quoi ils perdraient évidemment toutes leurs forces : l'*habitus* relève d'une logique pratique qui ne peut s'interroger sur ses propres conditions de production dans un mouvement réflexif qui n'appartient qu'au théoricien. De même, le rapport de domination construit sa propre légitimité sur un travail de déshistoricisation qui le fait accéder au statut de vérité universelle. Là encore, historiquement, les rapports de domination ont souvent procédé à une naturalisation d'eux-mêmes (la domination – ou l'inégalité – est éternelle et justifiée parce qu'elle est naturelle) entre autres moyens de légitimation. De ce point de vue, la domination masculine est exemplaire, à la fois parce que s'y trouve le plus haut degré de naturalisation (la construction sociale des genres est ignorée au profit de la différence biologique des sexes), et à la fois parce que toutes les institutions – famille, église, État – ont concouru et concourent encore à la déshistoriciser. Le travail historique – en même temps que politique en ce qu'il est aussi un travail de délégitimation de la domination – ne peut donc se contenter de faire l'histoire de la condition féminine, mais doit aussi faire celle du travail de déshistoricisation opéré par les institutions sur la domination masculine[61].

Ce travail sur la domination masculine permet donc de mettre en relation des notions de domination et d'*habitus* beaucoup plus profondément que dans d'autres études, où la notion de champ lui apparaît liée de manière plus étroite. Il permet surtout de comprendre que la prise de conscience de la domination ne suffit pas à en effacer la légitimité apparente, ni *a fortiori* à l'abolir du seul fait de la conscience. Intériorisée et incorporée dans l'*habitus*, la domination est ancrée dans l'esprit et dans le corps aussi bien des dominants que des dominés et se renforce d'elle-même, quasiment indépendamment des volontés individuelles. Ce qui ne revient pas à dire que les volontés individuelles ne peuvent rien sur elles, ce qui serait une condamnation de toute action politique possible, idée qui est très éloignée de Bourdieu. Comme pour tout autre type de domination, la domination masculine est un état historique d'un rapport de force, d'une lutte qui ne connaît pas d'issue définitive. Et de fait, les femmes disposent d'un certain nombre de ressources pour faire évoluer le rapport de domination, notamment le fait que leur position dominée qui conduit à leur surreprésentation dans les postes de production de biens symboliques – création artistique, production culturelle, journalisme, enseignement, etc. –, postes qui appartiennent au mieux à la fraction dominée de la classe dominante, leur permet de manipuler plus aisément les symboles et schèmes perceptifs sur lesquels s'appuie la domination masculine. Mais les limitations sont aussi nombreuses, à tous les niveaux, comme en témoigne par exemple

61. *Ibid.*, p. 90.

la propension de la presse féminine à reproduire les schèmes habituels de l'*habitus* féminin. Plus profondément, la permanence de la domination se renforce du fait que la relation de domination ne repose pas uniquement (ni même essentiellement d'ailleurs) sur une domination substantielle, mais se constitue de manière structurale, c'est-à-dire comme système de positions à la fois différentielles et inégales. Si Bourdieu ne se pose pas la question de la relation entre différence et inégalité comme le ferait Louis Dumont par exemple (et il est frappant de constater à quel point les deux pensées, situées à des extrêmes opposés, se croisent à de nombreuses reprises sur des thèmes communs), il montre en revanche, dans une perspective très structuraliste, combien la relation de domination n'est pas une inégalité de niveau comme le présuppose naïvement une sociologie platement statisticienne (niveau de diplôme, niveau de rémunération, de reconnaissance, etc.), mais avant tout comme un système d'écarts, c'est-à-dire très exactement une structure, entre hommes et femmes. Ainsi, le changement dans les conditions masque la permanence des écarts entre hommes et femmes : l'accès des femmes à des postes ou positions qui leur étaient autrefois interdits masque le maintien d'un écart significatif avec les positions masculines, écart maintenu, par exemple, par le phénomène connu de la dévalorisation des professions à mesure de leur féminisation. La promotion de l'égalité entre hommes et femmes a donc souvent l'allure d'une course-poursuite où l'écart entre les coureurs est toujours semblable. Autrement dit, tout effort pour permettre aux femmes d'accéder à des professions valorisées sera de peu d'effet tant que la valeur de la profession sera déterminée par la valeur de celui qui l'occupe et non l'inverse, comme le présuppose toujours ce type de promotion.

On arrive sans doute ici au cœur de la relation de domination en ce qu'elle n'est pas une domination substantielle, mais une structure de domination : le contenu de la domination importe peu (et de fait il change dans le temps) par rapport à la force et la permanence de la structure comme système relationnel de différences, ou mieux de distinction. On retrouve en effet ici la même logique que celle qui préside à la distribution des goûts culturels et des classes sociales : le goût bourgeois n'est pas intrinsèquement bourgeois, mais il est bourgeois tant qu'il est goûté par les bourgeois ; pour peu qu'il se « démocratise », comme on dit, parce qu'il a la valeur de ceux qui le goûtent, il devient peu à peu un goût vulgaire parce que goûté du vulgaire. L'économie des biens symboliques se présente donc comme une économie de la rareté, mais surtout comme une économie de la valeur qui repose sur la valeur attribuée à la distinction.

[illegible]

[illegible] une étude très [illegible] de la distinction sociale des goûts culinaires, *La Distinction* (1979) prend au [illegible] des développements [illegible] une dimension bien plus [illegible] une véritable sociologie [illegible] de la France contemporaine en [illegible] critique de la philosophie kantienne [illegible]. C'est [illegible] sociale, le goût [illegible] et son usage qui consti- [illegible] l'étude de la [illegible] de goût de son [illegible] mobilisation [illegible] précédemment [illegible] perceptions indi- [illegible] cons- [illegible] *La Distinction* [illegible] de l'œuvre du socio- logue [illegible] et sur une

2. *LA DISTINCTION* OU LA « TROISIÈME CRITIQUE » BOURDIEUSIENNE

Conçue et annoncée au départ comme une étude très ponctuelle et minutieuse, étroite pour tout dire, de la distribution sociale des goûts culturels, *La Distinction* (1979) prend au fur et à mesure des développements qu'implique son objet d'analyse une dimension bien plus large et finit par constituer une véritable sociologie transversale et globale de la France contemporaine en même temps qu'une critique de la philosophie kantienne du jugement. C'est la notion de classe sociale, le questionnement sur sa construction et son usage qui constituent le pivot de cet élargissement. L'étude de la constitution et de la genèse du jugement de goût, de son usage social aussi demande une mobilisation intensive des concepts bourdieusiens élaborés précédemment, notamment celui d'*habitus* qui articule perceptions individuelles et conditions de classe. Dès lors, on peut considérer *La Distinction* comme une étape relativement importante dans le développement de l'œuvre du sociologue, première mise en œuvre pratique et sur une grande échelle de ses concepts fondamentaux. La capacité du sociologue à reconstruire un espace social aussi large sur des bases aussi étroites manifeste pleinement le haut « rendement » de ses instruments d'analyse.

ORIGINES SOCIALES ET GOÛTS CULTURELS

La problématique de *La Distinction* part d'un fait très simple : « d'une part la relation très étroite qui unit les pratiques culturelles (ou les opinions afférentes) au capital scolaire (mesuré aux diplômes obtenus) et, secondairement, à l'origine sociale (saisie au travers de la profession du père) et d'autre part le fait que, à capital scolaire équivalent, le poids de l'origine sociale dans le système explicatif des pratiques ou des préférences s'accroît quand on s'éloigne des domaines les plus légitimes[1] ». Énoncé comme tel, le constat de corrélation entre pratiques culturelles et niveau scolaire apparaît comme évident. Il reformule rigoureusement ce que tout le monde sait : les pratiques culturelles varient en fonction du niveau scolaire. Peut-on pour autant en déduire une relation de détermination entre les deux à partir de la seule analyse de cette corrélation ? Le fait que, précisément, l'enquête sur laquelle s'appuie Bourdieu porte sur des pratiques et goûts culturels où l'enseignement scolaire est particulièrement indigent (connaissance des compositeurs et pratique musicale, connaissance de tableaux et de leur auteur) le conduit à s'interroger non pas sur la représentativité statistique de la corrélation, mais sur sa signification sociologique, ou plus précisément sur la signification sociale des indicateurs choisis dans l'enquête. Son hypothèse maî-

1. *La Distinction, op. cit.*, p. 12.

tresse repose sur l'idée que les pratiques culturelles, comme l'institution scolaire, ont une même fonction d'« assignation statutaire » c'est-à-dire un pouvoir de classer les agents dans l'espace social, d'instaurer de la discontinuité dans la continuité des niveaux de revenus en créant des unités discrètes constituées autour des mêmes goûts culturels et reconnues par le même niveau de diplôme. Autrement dit, les pratiques culturelles sont au principe de la formation de groupes sociaux distincts les uns des autres et se reconnaissant comme distincts. On saisit la présence d'une logique de classement qui se double d'une hiérarchisation entre classes sociales. En analysant plus précisément encore les résultats de son enquête, notamment en ce qui concerne la préférence pour des œuvres musicales, Bourdieu remarque que les goûts sont très fortement discriminés (avec des variations très importantes sur une même œuvre musicale selon les classes sociales) et s'agrègent en trois groupes bien distincts : un goût légitime représenté par les œuvres les plus légitimes et goûtés par les classes dotées du plus fort capital scolaire, un goût moyen où se trouvent les œuvres mineures des arts majeurs et les œuvres majeures des arts mineurs, et un goût populaire constitué d'œuvres légères ou de musique savante dévalorisée par une divulgation industrielle.

Le premier point de sa démonstration consiste à caractériser la « noblesse culturelle » qui se retrouve autour du goût légitime et d'un fort capital culturel (mesuré en termes de compétence ou de pratique culturelle) par un ensemble de dispositions communes que valorise fortement le système scolaire (et d'autant plus fortement que le niveau scolaire est plus élevé) sans pour autant l'enseigner ni même l'exiger explicitement. La noblesse culturelle se définit en effet par sa propension à accumuler des connaissances non directement rentables sur le marché scolaire (en peinture et musique par exemple), en un mot à faire preuve d'une connaissance « désintéressée[2] » que le langage naturel appelle précisément une « culture générale ». Or, c'est justement la « culture générale » qu'évalue et sanctionne le système scolaire au sommet du cursus établi – qu'on songe par exemple aux grandes écoles –, tout autant sinon plus qu'une compétence spécifique et technique. La disposition cultivée s'entend donc comme une recherche désintéressée et libre de connaissances, une *skholè*, qui s'applique aussi bien aux œuvres qui forment le goût légitime, qu'aux œuvres et arts non légitimes (comme le jazz, le cinéma ou la bande dessinée) mais sur lesquels la noblesse culturelle exerce librement sa disposition cultivée (connaissance des auteurs et de leur parcours, etc.). La corrélation avec le capital scolaire s'explique donc par la présence d'un effet caché du système scolaire qui ne peut être dévoilé que si l'on comprend la valorisation croissante de la « culture générale » au fur et à mesure qu'on s'élève dans le cursus scolaire. Autrement dit, plus le diplôme est élevé, plus il sanctionne quelque chose que l'école n'enseigne pas mais valorise, à savoir cette disposition cultivée qui est le fait de la noblesse culturelle et qui relève essentiellement de la transmission familiale. Dès lors, le système scolaire, comme les pratiques culturelles, a lui aussi une fonction d'assignation statutaire parce que le diplôme sanctionne moins une compétence spécifique (et d'autant moins qu'il est plus élevé) qu'une disposition garantissant l'appartenance à une classe sociale. Au plus haut niveau de la hiérarchie scolaire, le diplôme est donc avant tout un titre de

2. Elle n'est désintéressée qu'en apparence évidemment et apparaît sous un autre jour lorsqu'on cherche à évaluer sa rentabilité en termes de capital social.

noblesse culturelle qui garantit socialement en le sanctionnant un capital culturel hérité : « Cet effet d'allocation, et l'effet d'assignation statutaire qu'il implique, contribuent sans doute pour une part très importante à faire que l'institution scolaire parvienne à imposer des pratiques culturelles qu'elle n'inculque pas et qu'elle n'exige même pas expressément mais qui font partie des attributs statutairement attachés aux positions qu'elle assigne, aux titres qu'elle confère et aux positions sociales auxquelles ces titres donnent accès[3]. »

Une deuxième enquête consistant à faire réagir les individus sur des photographies ou sur les sujets possibles d'une « belle » photographie permet de confirmer dans le domaine de l'esthétique les traits distinctifs de la disposition cultivée, mais aussi de montrer en quoi s'opposent goût légitime et goût populaire. Les individus porteurs d'un fort capital culturel considèrent ainsi que tout objet (un chou, des galets, un blessé) peut donner lieu à une belle photographie, la beauté de la photographie résidant non dans son contenu, mais dans la manière de photographier. À l'opposé, un faible capital culturel restreint le choix des objets à ceux communément considérés comme « beaux » : une jolie femme, des fleurs, un coucher de soleil (ce dernier étant rejeté par le goût moyen comme « cucul »). Dès lors, esthétique cultivée et esthétique populaire s'opposent comme s'opposent la forme et la fonction, la liberté et la nécessité, goût pur et sensations agréables. Dans la logique de distinction qui préside à la formation des goûts, il est clair que ceux-ci ne sont pas entièrement redevables de leur définition aux conditions socio-économiques dans lesquelles ils sont produits (même s'ils le sont partiellement), mais aussi de l'écart différentiel

3. *La Distinction, op. cit.*, p. 25.

qu'implique une relation structurale entre les goûts. Autrement dit, goût bourgeois et goût populaire ne s'opposent pas seulement parce que bourgeois et ouvrier vivent différemment (et ont un rapport différent à la nécessité économique), mais aussi parce qu'ils se définissent en opposition l'un de l'autre. Les différences objectives de conditions de vie entre classes sociales sont intériorisées et restituées subjectivement par des oppositions en matière de goût.

De manière générale donc, le goût cultivé se manifeste comme un goût « pur », c'est-à-dire dégagé de toute référence à la fonction de l'œuvre et accordant un primat absolu à la forme pure. Le musée en est le lieu d'exposition privilégié parce qu'il arrache l'objet à sa quotidienneté, le dépouille de toutes les fonctions qu'il pourrait y avoir pour en faire une forme pure, destinée à être appréciée comme telle. On retrouve le même primat de la disposition cultivée dans le théâtre d'avant-garde, le cinéma expérimental ou le Nouveau Roman qui éloignent l'œuvre du plaisir le plus immédiat (plaisir de la péripétie, du comique, de la narration) pour en faire des constructions pures propices à procurer la jouissance de la forme. Il n'est donc pas exagéré d'évoquer l'esthétique kantienne comme le fait Bourdieu pour comprendre sur quoi repose la disposition cultivée. Il s'agit d'une mise à distance de la vie, d'une distanciation voulue et cultivée qui manifeste tout ce qu'elle doit à l'*habitus* bourgeois, tout fait de retenue (il s'agit de « mettre les formes ») et de liberté (obtenue par la distanciation). La distanciation suppose l'existence d'un « principe de pertinence » socialement reconnu, capable d'extraire la forme pure de toute œuvre, même populaire. Ainsi la noblesse culturelle peut-elle s'enthousiasmer pour tel western ou tel film d'action, mais c'est aussitôt pour produire un discours formaliste à son propos. La disposition cultivée a dès lors tout l'air d'être un jeu, ce qu'elle est en effet si on considère les valeurs de désintéressement et de gratuité qu'elle véhicule. On comprend mieux les correspondances qu'elle peut établir avec l'exercice scolaire qui lui aussi est un jeu, une mise entre parenthèses de la vie courante et qui nécessite, de même que la disposition esthétique, une liberté assurée à l'égard de la nécessité en général et de la nécessité économique en particulier. À l'opposé, le goût populaire se caractérise comme une esthétique « anti-kantienne » accordant le primat à la fonction sur la forme. Surtout, l'esthétique populaire se définit comme une esthétique de l'agréable et du divertissement. Attribuant aux objets et activités culturelles une fonction dans la vie quotidienne (« on est là pour s'amuser ») les classes les plus démunies de capital scolaire sont régulièrement déconcertées devant les manifestations les plus ascétiques de l'esthétique légitime, attribuant non sans raison à l'obscurité de ses œuvres la volonté de les tenir à l'écart. Les pratiques culturelles dans les classes les plus démunies de capital scolaire se définissent donc essentiellement par leur fonction de divertissement et de repos par rapport à la contrainte du travail. Elles s'insèrent dans des cycles temporels où alternent en s'opposant temps de travail auquel sont associées la pénibilité et la contrainte, et temps de loisir au cours duquel on se repose, on s'amuse ou on se libère (que l'on songe notamment aux fêtes populaires, placées sous le signe de la liberté de l'esprit et du corps). À l'opposé, les pratiques culturelles des classes à fort capital culturel s'affirment comme indépendantes de toute fonction. Il ne s'agit plus de se divertir ou de se reposer, mais de « se cultiver », c'est-à-dire d'accroître indéfiniment des connaissances pour le seul plaisir de les acquérir. De ce point de vue, la disposition cultivée est le prolongement de la *doxa* scolaire qui apprend à aimer les connaissances pour elles-mêmes et non pour leur utilité pratique. On comprend dès lors comment s'accordent dispositions esthétiques et parcours scolaires. Contrairement à ce qu'on croit habituellement, l'héritage familial sanctionné positivement par l'institution scolaire ne porte pas tant sur le contenu des connaissances – ce serait une erreur de croire que les conversations qui animent le repas bourgeois tournent autour de Cicéron et de Kant – que sur une *attitude* envers la connaissance. Ce qui est transmis par la famille, ce n'est pas des connaissances mais des dispositions à l'égard de la connaissance (et de beaucoup d'autres choses). Autrement dit, un *habitus*.

PRATIQUES CULTURELLES ET CLASSES SOCIALES

L'analyse de la deuxième partie de la corrélation constatée au départ, à savoir que le poids relatif de l'origine sociale (profession du père) croît au détriment du capital scolaire à mesure qu'on aborde des pratiques culturelles plus éloignées de la culture légitime, permet d'examiner plus précisément les modes d'acquisition culturelle, c'est-à-dire la manière dont les individus acquièrent des pratiques culturelles spécifiques. Ce qui est mesuré est donc moins ici une compétence culturelle évaluée en termes de connaissances légitimes qu'une familiarité statutaire avec la culture légitime : connaissance de metteurs en scène, goûts en matière de jazz, affirmation que tout objet peut constituer une belle photo, mais surtout goûts vestimentaires, en matière d'ameublement et de décoration, goûts alimentaires aussi sont autant d'indicateurs qui, écartant le poids de l'enseignement scolaire dans la détermination des pratiques culturelles, permettent de mettre en lumière l'importance de la transmission familiale dans ce type de pratiques. Aux « titres » de noblesse culturelle sanctionnés et décernés par l'école viennent donc s'ajouter les « quartiers » de noblesse culturelle. Jusqu'à un certain point, les uns et les autres s'opposent, déterminant des conflits entre fractions de classe au sein de la classe dominante, opposition qui reprend peu ou prou le conflit des « mondains » et des « pédants » du XVIIe siècle : les quartiers de noblesse culturelle ne s'acquièrent pas individuellement mais se capitalisent sur plusieurs générations et ont partie liée avec l'éducation la plus primaire, cette éducation du goût que construit peu à peu une familiarité précoce avec les œuvres, les objets, les manières de table et de salon. Ainsi la noblesse culturelle se subdivise encore, et recèle des oppositions et des distinctions internes sur lesquelles le principe de distinction s'applique à l'infini selon les couples d'opposition du naturel et de l'artificiel, de l'inné et de l'acquis, de l'ancien et du nouveau. Dès lors, « ce que l'on saisit à travers des indicateurs tels que le niveau d'instruction ou l'origine sociale ou, plus exactement, dans la structure de la relation qui les unit, ce sont aussi des modes de production de l'*habitus* cultivé, principe des différences non seulement dans les compétences acquises mais aussi dans les manières de les mettre en œuvre, ensemble de propriétés secondes qui, en tant que révélateurs de conditions d'acquisition différentes, sont prédisposées à recevoir des valeurs très différentes sur les différents marchés[4] ». Ainsi à l'espace social à deux dimensions que constituent le volume global de capital et la structure du capital, Bourdieu ajoute une troisième dimension qui insère l'action du temps dans son déroulement,

4. *Ibid.*, p. 70.

comme ordre de succession des événements. La troisième dimension de l'espace social mesure les trajectoires individuelles et familiales en prenant en compte l'ancienneté de la capitalisation. C'est évidemment ici qu'apparaissent le mieux les distinctions entre tenants et nouveaux venus, entre héritiers et parvenus au sein de la noblesse culturelle. La distinction subtile entre le goût « naturel » sanctionné secondairement par le capital scolaire et le capital culturel acquis par l'intermédiaire de l'enseignement scolaire est au principe d'une hiérarchisation subtile à l'intérieur même de la classe dominante : des examens aussi peu formalisés que le « grand oral » de l'ENA qui portent sur la personnalité globale du candidat ou les tests que la conversation banale impose à la « sûreté du goût » semblent bien destinés à séparer le bon grain de l'ivraie et à hiérarchiser les individus ; c'est aussi un bon moyen pour s'assurer le monopole de la violence symbolique en imposant arbitrairement à l'ensemble de la classe dominante (et de proche en proche à l'ensemble du corps social) la définition des goûts légitimes et échapper ainsi à la contestation en les naturalisant : le goût légitime devient le goût tout court, applicable à tous les domaines de la vie quotidienne, même les plus insignifiants, ce qui échappe bien sûr aux pédants, dont la formation accélérée en matière de « bon goût » n'a pu porter que sur les domaines les plus légitimes du goût légitime, comme le classement des œuvres littéraires ou artistiques. Ainsi, la lutte entre les mondains et les pédants, entre différentes fractions de la classe dominante ou de la noblesse intellectuelle, témoigne de la présence d'une lutte pour l'imposition d'une norme classante au cœur de la définition des goûts. Plus encore, rien ne serait plus faux que de définir les goûts comme des réalités anhistoriques et sans contexte. La question de la valeur des pratiques culturelles et des goûts ne peut être abordée que relativement, par distinction avec d'autres pratiques culturelles, selon une logique qui nous est maintenant familière dans l'œuvre bourdieusienne. La relation structurale entre les pratiques culturelles fait elle-même l'objet d'une lutte de pouvoir entre classes et fractions de classe. Enfin, et c'est peut-être le plus important, les pratiques et compétences culturelles sont diversement valorisées selon les champs où elles s'inscrivent. L'étude sociologique des goûts et pratiques culturels est donc indissociable d'une analyse des conditions de production de ces goûts, analyse qui englobe les conditions économiques mais ne se réduit pas à celles-ci, et qui repose comme on s'en doute à la fois sur la notion d'*habitus* et sur celle de champ.

C'est donc à une véritable « économie des pratiques » que Pierre Bourdieu se livre, élargissant considérablement, par enchaînement logique, son champ d'investigation. On se trouve là devant une étape relativement importante de la réflexion du sociologue qui a pour conséquence une redéfinition de la notion de classe sociale (voir encadré). Elle réalise parallèlement l'intégration des trois concepts fondamentaux de la sociologie bourdieusienne dans la formule désormais célèbre : [(*habitus*) (classe)] + champ = pratique. La formule, d'apparence mathématique, n'est que la forme condensée de la définition bourdieusienne de son économie générale des pratiques : celles-ci se définissent comme la résultante d'un *habitus* individuel partiellement corrélé à l'appartenance de classe (c'est-à-dire en partie concordant avec l'*habitus* de classe), les pratiques s'inscrivant elles-mêmes dans un champ.

Définir les classes sociales

On distingue classiquement trois grands ensembles théoriques qui ont produit des définitions concurrentes de la notion de classe sociale, reposant sur des principes explicatifs de la formation des classes sociales fort différents :

— La théorie marxiste de la formation des classes sociales définit celles-ci en fonction de la position des agents sociaux dans le système de production. Dans cette perspective, c'est l'organisation de la production économique qui est la cause de l'existence de classes sociales. Dans la mesure cependant où, chez Marx, les classes se définissent aussi par le conflit qui les oppose, les théories marxistes hésitent entre une définition objectiviste des classes sociales, fondée sur la position objective dans le système de production et le rapport aux moyens de production, et une définition subjective des classes sociales, où la « conscience de classe » produite par les luttes historiques joue un rôle important.

— Les théories de la stratification sociale, dérivées de la sociologie weberienne, analysent les classes sociales dans les sociétés modernes en termes de statut. Talcott Parsons a proposé une explication de la stratification sociale qui repose en dernière analyse sur le système de valeurs adopté par la société. Les classes sociales, différenciées par des rémunérations différentes mais aussi par des statuts plus ou moins prestigieux, sont stratifiées selon que la société accorde plus ou moins de valeur à leur activité.

— Un dernier type explicatif fait dépendre la formation de classes sociales de mécanismes de marché régis par le rapport entre l'offre et la demande. Ainsi, chez Adam Smith, la rémunération, matérielle et symbolique, d'une activité dépendra de sa rareté relative sur un marché où s'offrent les compétences.

La redéfinition par le sociologue de la notion de classe sociale s'appuie sur une critique de l'analyse statistique classique établissant et analysant des relations entre variables dépendantes et variables indépendantes (quel que soit d'ailleurs le degré de raffinement de ces analyses). Ces analyses ont pour effet de limiter la compréhension sociologique des variations en ce qu'elles détachent la plupart du temps les variables (indépendantes) les unes des autres sans s'interroger sur les propriétés secondaires qu'impliquent ces variables et qui renvoient en partie à d'autres variables. Les variations prennent donc rapidement le sens de rapports de causalité unidimensionnelle et le tout en incluant inconsciemment les propriétés secondaires des variables. Construire les classes sociales à partir d'une seule variable comme la profession est donc insuffisant dans la mesure où la position dans l'appareil de production n'a pas nécessairement le même sens ni les mêmes effets selon l'âge, le sexe ou la trajectoire individuelle qui a conduit à cette position. Pierre Bourdieu tente donc de reconstruire la notion de classe sociale en se dégageant de « la pensée linéaire qui ne connaît que les structures d'ordre simple de la détermination directe[5] » et en essayant non pas seulement de faire varier toutes les variables mais de déterminer la structure d'un réseau de facteurs concurrents dans la constitution d'un *habitus* de classe. Dès lors, « la classe sociale n'est pas définie par une propriété (s'agirait-il de la plus déterminante comme le volume et la structure du capital), ni par une somme de propriétés [...] ni d'avantage par une chaîne de propriétés, toutes ordonnées à partir d'une propriété fondamentale (la position dans les rapports de production) dans une rela-

5. *Ibid.*, p. 119.

tion de cause à effet, de conditionnant à conditionné, mais par la structure des relations entre toutes les propriétés pertinentes qui confère à chacune d'elles et aux effets qu'elle exerce sur les pratiques leur valeur propre[6] ». C'est ainsi qu'une représentation pertinente de l'espace social s'appuiera sur au moins trois dimensions : volume global du capital tout d'abord, puis structure du capital, et enfin trajectoire dans le temps mesurant et mettant en évidence un ensemble de phénomènes sociologiques importants comme le déclassement (déperdition de capital) ou le reclassement (conversion d'une espèce de capital dans une autre). On peut encore évoquer les effets de trajectoire qui déterminent l'espace des possibles et du même coup les aspirations subjectives en tant qu'elles sont accordées ou non à des conditions de possibilité objectives. Seule la prise en compte de l'ensemble de ces facteurs ou plutôt de la structure qui les fait interagir est à même de permettre une analyse des conditions de vie concrètes des agents. Or, ce sont ces conditions de vie entendues en ce sens qui sont à l'origine de la construction d'un *habitus* et corrélativement de goûts. Les classes sociales se définissent donc chez Bourdieu par l'intermédiaire de la double détermination des conditions de vie d'une part et des pratiques culturelles (ou des goûts) d'autre part, l'habitus médiatisant les deux ordres de détermination.

DES GOÛTS DISTINCTS ET DISTINCTIFS

La particularité du raisonnement sociologique à l'œuvre dans *La Distinction* – et ce qui en fait aussi

6. *Ibid*, p. 118.

sa complexité – c'est qu'il s'appuie sur la conjonction de deux séries de facteurs pour analyser le mécanisme de formation des goûts : d'un côté une logique de distinction, d'écart différentiel, qui doit beaucoup au structuralisme comme on l'a vu et qui recourt ponctuellement à la notion de champ, d'autre part les conditions de vie telles qu'elles ont été définies précédemment et qui conduisent à la notion d'*habitus*. C'est bien la conjonction et le renforcement mutuel de ces deux séries de facteurs qui conduisent à la formation des goûts. Ainsi, goût bourgeois et goût populaire ne s'opposent pas simplement arbitrairement comme le dirait une sémiologie structurale pure, mais leur différence est aussi fondée sur une différence de conditions de vie, un rapport différent à la nécessité économique notamment. À l'inverse, la division en classes ne repose pas uniquement sur une différence de conditions de vie, mais est elle-même le résultat d'un principe de division et de classement qu'opèrent les agents et l'*habitus* qui les conditionne. On voit combien la notion de classe relève chez Bourdieu autant du subjectif que de l'objectif : c'est pourquoi son analyse repose aussi bien sur les conditions de vie que sur le monde social représenté, c'est-à-dire sur l'espace des styles de vie, et singulièrement les goûts. Ce qui détermine l'homogénéité relative de la classe sociale c'est que l'espace des conditions de vie et l'espace des styles de vie (lui même subdivisé en plusieurs pratiques : alimentation, habillement, consommation culturelle, etc.) se construisent sur des oppositions homologues entre elles. Pour reprendre un exemple déjà évoqué, on a vu que l'opposition entre une esthétique de la forme et une esthétique de la fonction se construisait sur une différence de rapport à la nécessité économique. Cette opposition est homologue à celle que l'on retrouve dans les pratiques alimentaires entre une alimentation bourgeoise, toute faite de cérémonie et de plats fins (et formalistes dans le cas de la « Nouvelle Cuisine ») et une alimentation populaire dont les *Mythologies* de Barthes ont montré la fonction de reconstitution de la force de travail : une alimentation formelle d'un côté (le bourgeois ne mange pas pour se nourrir) et une alimentation fonctionnelle de l'autre. Cette opposition recèle, on le voit, une homologie profonde avec celle qui oppose les esthétiques. L'analyse pourrait être facilement continuée pour l'habillement ou le sport sans qu'il soit besoin ici d'en faire plus ample démonstration.

Mais l'analyse doit être raffinée, tant il est vrai que la première série d'oppositions entre l'esthétique de la forme et l'esthétique de la fonction ne prend en compte que la distinction en termes de volume global de capital. Elle voile une autre série d'oppositions, consubstantielle à la structure du capital, et qui oppose les fractions de classe plus fortement dotées en capital économique à celles qui le sont en capital culturel. Si prises ensemble, les deux fractions de classe manifestent leur opposition globale aux classes dépourvues de capital par la liberté dont elles bénéficient par rapport à la nécessité économique, leur opposition interne à cette opposition détermine ce qui peut apparaître de loin comme des variations du goût dominant. Mais ces variations ne prennent sens que si on comprend qu'elles sont liées aux variations dans la structure du capital par l'intermédiaire des variations dans les modes d'appropriation des objets symboliques que cela entraîne. Le mode d'appropriation de la noblesse culturelle ne peut être qu'une appropriation symbolique, reposant essentiellement sur la définition du goût légitime et la production d'un discours sur l'objet culturel. À l'opposé, le mode d'appropriation lié à la prédominance du capital économique se double d'une appropriation réelle des objets symboliques, reléguant du même coup l'appropriation symbolique dans une position de faiblesse. Dans l'espace des styles de vie, cette opposition se traduit par la distance établie entre le luxe bourgeois d'un côté et l'ascétisme aristocratique de l'intellectuel de l'autre, opposition qui en commande toute une série d'autres : entre la galerie qui appartient dans une certaine mesure au commerce de luxe et le musée où l'appropriation ne peut être que symbolique ; entre la revue *Connaissance des Arts* où l'art repose essentiellement dans des objets luxueux (porcelaine, argenterie, etc.) et *Beaux-Arts* qui s'en tient à l'« art pur » ; entre le théâtre bourgeois où l'argent est sur la scène, comme dirait Roland Barthes, dans les costumes et les décors, et le théâtre d'avant-garde, sévère et minimaliste. Cette opposition, on la retrouve dans les pratiques sportives, entre les sports coûteux exigeant de lourdes infrastructures (golf, course automobile, ski nautique) et les sports ascétiques (randonnée, alpinisme) exigeant un effort physique et peu de moyens financiers. Ainsi, la distance à la nécessité s'exprime-t-elle de deux manières opposées : ici par le goût du luxe, là par un refus volontaire de la facilité. Mais ce n'est pas assez encore que de simplement noter l'opposition entre « la vie en rose » du bourgeois et « la vie en noir » de l'intellectuel dans la mesure où cette opposition n'est pas égalitaire mais dissymétrique et déterminant une relation de domination. Car cette opposition en recouvre une autre, mesurée par l'ancienneté d'appartenance aux classes dominantes et déterminée par les trajectoires individuelles et familiales. Il est clair en effet que l'ancienneté de la capitalisation culturelle détermine un rapport particulier à ce capital qui influe sur la détermination des goûts : sûreté du « bon goût » dont la marque de fabrique est la discrétion contre tape-à-l'œil du goût « nouveau riche » dans la fraction dominante de la classe dominante, liberté du goût avant-gardiste contre limites du « goût scolaire » dans la fraction intellectuelle de la classe dominante. L'effet de trajectoire qui repose donc sur la capitalisation sur plusieurs générations est d'ailleurs redoublé au niveau individuel par l'opposition entre les générations. Autrement dit, la classe dominante, prise en bloc, se subdivise par le biais de distinctions extrêmement fines de variations de goûts déterminées d'abord par la structure du capital (capital économique ou capital culturel), ensuite par le rapport au capital qui varie sous l'action du temps (capital « ancien », hérité sur plusieurs générations, ou capital nouvellement acquis, ceci valant aussi bien pour le capital économique que pour le capital culturel).

On voit combien l'espace à trois dimensions élaboré par Bourdieu fonctionne comme un générateur de distinctions par combinaison des variables prises en compte et des oppositions construites sur ces variables. Reste que les oppositions sont emboîtées les unes dans les autres et que les variables n'ont pas toutes le même poids. Ainsi pour la plupart, les oppositions internes aux classes et fractions de classe sont subsumées par l'opposition majeure construite sur le volume global de capital. Cette opposition est d'autant plus importante qu'elle commande secondairement l'étroitesse relative du principe de conformité qui préside à l'élaboration des goûts. Tandis que dans les classes les plus dotées en capital, on assiste à une subdivision à l'infini des groupes selon une logique qui n'est pas sans rappeler le principe de segmentarité à l'œuvre dans la manière dont les lignages fissionnent et fusionnent : rive gauche contre rive droite, nouveau riche contre vieille bourgeoisie, mondains contre pédants, avant-garde contre conformistes, à l'autre extrémité du spectre social, le principe de conformité est particulièrement sévère et rappelé à tout bout de champ par ces rappels à l'ordre qui émaillent la conversation quotidienne (« pour qui se prend-il ? », « faire des chichis », « ce n'est pas pour nous », etc.). Fondé sur le « choix du nécessaire », le goût populaire est un goût de nécessité qui condamne toute prétention aux deux sens du terme qui n'est pas accordée aux conditions objectives de vie : goût du simple et du modeste accordé à des gens simples et modestes, le goût populaire accorde en matière d'habillement et d'ameublement une prééminence à la fonction déjà constatée dans les jugements esthétiques. Un meuble sera préféré à un autre pour sa robustesse, un appartement pour son côté pratique, de même qu'un vêtement. Mais en même temps, la violence symbolique qui impose à tous une légitimité des goûts évaluée en fonction de leur conformité au goût dominant (qui est aussi le goût des dominants), explique que les objets populaires soient en partie des objets luxueux « au rabais » : mousseux pour le champagne, chromos pour la peinture, skaï pour le cuir. Cette diffusion de la copie bon marché est révélatrice d'une dépossession symbolique contradictoire avec une définition autonome de la culture populaire. Cette dépossession est encore plus visible dans le cas des pratiques sportives où les agents sont réduits à l'état de spectateurs passifs, de fans, de sports qu'ils ne pratiquent pas. Bourdieu interprète ce rapport comme symbolique du rapport ouvrier au monde, expérimenté dans le travail qui le dépossède du résultat de son travail. S'il fallait représenter schématiquement l'éventail des goûts en suivant l'axe du volume global de capital, on verrait se former un entonnoir avec à un extrême une subdivision à l'infini des goûts, à l'autre l'étroitesse d'un principe de conformité qui implique la production en série et la reproduction à l'identique de pratiques culturelles formatées.

Reste à définir et comprendre les pratiques culturelles au milieu du spectre social, et qui concerne ces classes qui ne sont ni prolétaires ni bourgeoises, classes moyennes pour les uns, petits-bourgeois pour les autres. Du point de vue statistique, le goût « moyen » des classes moyennes représente la plus grande dispersion : qu'y a-t-il de commun entre journalistes et petits commerçants, infirmières et instituteurs sinon le fait de n'appartenir à aucun des deux pôles constituant l'espace social ? Et de fait, le « goût moyen » ne représente pas un pôle structurant de l'espace des styles de vie, mais une sorte d'entre-deux malaisé à définir. L'originalité de l'approche bourdieusienne consiste à montrer que pour cette partie de l'espace social, et contrairement aux deux autres, c'est moins la position synchronique qui compte, la position sociale constatée à un moment donné de la biographie de l'agent, que la trajectoire de l'agent, trajectoire ascendante ou descendante. « Ainsi les positions moyennes du champ social peuvent être définies synchroniquement comme situées en une région intermédiaire, caractérisée par son indétermination relative (première dimension, relative, des classes sociales), de l'un ou l'autre des sous-champs (deuxième dimension, horizontale), champ économique ou culturel, du champ des classes sociales mais aussi diachroniquement comme ayant une histoire [...] position à un moment donné, ou si l'on préfère, une trajectoire présente et future, un passé et un avenir[7]. » Le sociologue s'intéresse plus à la petite-bourgeoisie en ascension tant est caractéristique l'écart

7. *Ibid.*, p. 396.

qu'elle manifeste entre deux goûts : un goût d'inclination et un goût de volonté. Manifestant essentiellement une « bonne volonté culturelle », la petite bourgeoisie se reconnaît à son goût pour ce qui lui donne accès aux œuvres de la culture légitime sans en être pourtant : œuvres mineures des arts majeurs (jazz, photographie[8]), revues de vulgarisation scientifique et historique, mais aussi à sa révérence envers la culture légitime qu'elle aspire à s'approprier. Des trois groupes sociaux distingués par le sociologue, c'est elle qui dépend le plus étroitement de la réussite scolaire, dans la mesure où une bonne part de son capital culturel lui a été transmise par l'institution scolaire, et où surtout, l'école, par le biais du diplôme, garantit socialement sa position dans l'espace social. Tandis que les classes dominantes légitiment leur position dominante par d'autres critères que la simple réussite scolaire – celle-ci ne venant sanctionner que secondairement une position sociale acquise par avance –, les classes moyennes doivent à chaque instant faire la preuve de leur légitimité à tenir leur position. Le diplôme est évidemment un élément essentiel de ce processus de légitimation mais il n'est pas le seul. D'où la manifestation d'une « hypercorrection » qui est le signe d'une angoisse permanente à « tenir son rang ». Plus que toute autre, les classes moyennes où se recrutent enseignants, journalistes, publicitaires et vulgarisateurs culturels éprouvent le besoin de rappeler et de se rappeler les règles de l'orthodoxie en matière de goût et de valeurs culturelles, orthodoxie indexée évidemment sur le goût légitime et qui s'en distingue principalement par le fait qu'elle s'énonce comme une orthodoxie. Par ailleurs, tenant leur position par volonté, les

8. Cf. P. Bourdieu, L. Boltanski, R. Castel, J-Cl. Chamboredon, *Un art moyen,* Éditions de Minuit, Paris, 1965.

classes moyennes développent un *habitus* où dominent des valeurs connexes : ascétisme, rigorisme, juridisme. L'*habitus* petit-bourgeois est un *habitus* de capitalisation aussi bien dans le domaine économique que culturel : dans la mesure où, on l'a vu, la position moyenne est une position de trajectoire, les classes moyennes ont une tendance marquée à se projeter dans l'avenir et à y sacrifier le présent : il s'agit d'amasser, de capitaliser, de s'imposer une discipline sur tous les plans afin de s'assurer (ou d'assurer à ses descendants) une condition meilleure dans un avenir d'ailleurs indéfiniment repoussé. La disposition petite bourgeoise se manifeste logiquement par une restriction de la fécondité corrélative à l'investissement scolaire, une épargne importante relativement aux revenus, et une accumulation méthodique d'objets et de connaissances spécialisées que l'on retrouve dans la collection et le *hobby*. À terme, on ne peut pas espérer comprendre le mode de fonctionnement de classes moyennes habituellement mal définies, si on ne prend pas en compte la tension temporelle qui les constitue, tension qui est aussi celle qu'implique la distance entre être et devoir-être et que ne connaissent pas les deux extrêmes de l'échelle sociale.

À ce stade de l'analyse, il est possible de subdiviser les variantes de l'*habitus* petit-bourgeois en fonction du sens de la trajectoire des agents ou des positions occupées par les agents. Ainsi, les classes moyennes en déclin comme les artisans et petits commerçants développent-elles des goûts et manières d'être plus répressives, où le rigorisme caractéristique de l'ensemble de la classe prend une importance plus grande, notamment sur le terrain de la morale, et devient un pessimisme qui peut parfois tourner au ressentiment. À l'opposé, classes moyennes en ascension et surtout la

« petite bourgeoisie nouvelle[9] » formée des professions de présentation et de représentation (marketing, publicité, mode, décoration, relations publiques, etc.), ou de production et d'animation culturelle, contestent les valeurs de la petite bourgeoisie établie en cherchant à se démarquer au maximum de l'ascétisme qui la caractérise. Ici encore, on retrouve la logique de distinction présente à tous les niveaux de l'espace social qui a pour effet de renforcer les oppositions entre fractions de classe qui sont plus proches. La petite bourgeoisie nouvelle développe donc une éthique du plaisir et de la facilité, une éthique du « jouir sans entrave » et du spontanéisme qui s'épanouit dans la mode des sports californiens et des arts martiaux, du psychologisme et de l'« écoute de soi », de la macrobiotique et de l'écologie, tout en reproduisant – c'est le plus intéressant – l'éthique volontariste propre à toute la classe. Rien de plus caractéristique en effet que les injonctions de ces discours publicitaires, de ces livres de bien-être et de vulgarisation psychologique qui ordonnent sur le mode impératif de « se sentir bien ». Alliée objective de la bourgeoisie nouvelle qui se distingue de la bourgeoisie installée par son hédonisme, la petite bourgeoisie nouvelle développe quant à elle une éthique du « devoir de plaisir[10] », sorte d'imitation réfractée par l'*habitus* petit bourgeois de l'*habitus* bourgeois constitué en modèle.

L'hétérogénéité des classes moyennes se manifeste encore par le degré d'ouverture de leur avenir social. Les trajectoires sont plus ou moins déterminées et fixées par avance selon la position sociale occupée. Le degré d'indétermination des trajectoires sociales est d'ailleurs aussi bien objectif que subjectif, car le sens

9. *La Distinction, op. cit.*, p. 409.
10. *Ibid.*, p. 422.

pratique des agents leur permet d'évaluer inconsciemment leurs possibilités d'évolution. Or, quand on se déplace sur l'axe qui conduit des commerçants aux professions de la petite bourgeoisie nouvelle en passant par la petite bourgeoisie d'exécution, on assiste à une ouverture de plus en plus grande des trajectoires possibles : tandis que les petits commerçants ont peu de chance de promotion sociale, que la petite bourgeoisie d'exécution sera toujours bloquée dans son ascension au sein de l'entreprise par la barrière des grandes écoles qui monopolisent les postes de cadres supérieurs, la petite bourgeoisie nouvelle se trouve dans une position d'indétermination qui tient précisément à la nouveauté des professions exercées. Cette indétermination sociale se retrouve subjectivement dans un *ethos* particulier qui repose sur une dénégation du monde social et de la logique de classement qui le constitue. Contre le « chacun à sa place » du petit bourgeois à l'ancienne, la petite bourgeoisie nouvelle se caractérise par un refus de tous les classements sociaux, comme de tous les classements en général. Hostile par idéologie libertaire à toute forme de hiérarchie, elle développe une utopie politique qui se donne à voir comme un refus du politique (avec ses corollaires habituels du retour à la nature, du bon sauvage, etc.) que critique très durement Bourdieu, en grande partie parce qu'elle nie les rapports de force au sein de l'espace social qu'il s'attache à dévoiler. Il voit enfin dans sa morale de la libération une collusion objective avec l'économie de la consommation en ce qu'elle produit ou cherche à produire des individus isolés, désocialisés, affrontant en ordre dispersé des marchés séparés[11]. Ce point est important, car il révèle, dès l'époque de *La Distinction*,

11. *Ibid.*, p. 431, note 42.

l'existence d'une limite politique chez Bourdieu qui ne sera pas dépassée par la suite : la dimension critique de la sociologie qui permet de dévoiler les structures de domination politique et culturelle au sein du corps social ne se transforme pas en l'utopie d'une société qui ne connaît pas de domination. Si, à cet égard, les positions du sociologue vont quelque peu évoluer, il est clair cependant qu'il n'attribue pas à la sociologie le pouvoir de faire disparaître, par le seul fait de les dévoiler, les mécanismes sociaux dont il fait l'analyse. Autrement dit, mais ce sera explicité par la suite, la prise de conscience ne suffit pas à la libération. Plus encore, dévoiler le rôle que les institutions sociales (État, école, institutions culturelles) jouent dans la reproduction de la domination n'implique pas de tenter de liquider ces institutions dans la mesure où elles constituent une protection contre la loi d'airain du marché, fondement d'une domination économique qui serait infiniment plus brutale. D'un point de vue plus subjectif, si Bourdieu montre combien la conscience de classe contribue à la reproduction de la domination, au moyen de la violence symbolique par exemple, il rejette instinctivement la possibilité de sa disparition ou de son affaiblissement au motif qu'elle maintient une logique hétéronome aux lois du champ économique et empêche les unités domestiques d'y être totalement soumises. C'est ici sans doute la source d'un positionnement politique ambigu qui, s'appuyant sur une critique de l'État, refuse d'en tirer toutes les conséquences pour aboutir à une position libérale [12]. Le chemin qui a conduit nombre de libertaires au libéralisme depuis les années soixante jusqu'aux années quatre-vingt-dix, Pierre Bourdieu ne l'a pas suivi, et pour cause. Il recon-

12. Cf. deuxième partie, « Le sociologue dans la cité », p. 250.

naît dès le départ dans l'idéologie libertaire une illusion qu'il critique brutalement et dont il affaiblit la portée politique en la renvoyant à l'expression d'une position sociale parmi d'autres. Il n'est pas étonnant dès lors que celui qui semblait critiquer l'État dans les années soixante-dix vole à son secours lorsque celui-ci est menacé dans les années quatre-vingt-dix.

CULTURE ET POLITIQUE : LES CHEMINS DE TRAVERSE DE LA DOMINATION

Pierre Bourdieu a dit qu'il avait songé illustrer le dernier chapitre de *La Distinction* par une photographie représentant Edmond Maire (secrétaire général de la CFDT) et Georges Séguy (secrétaire national de la CGT) assis en face de Valéry Giscard d'Estaing, président de la République à l'époque de *La Distinction*, sur un canapé Louis XV[13]. Cette photographie donnerait à voir, ne serait-ce que par le système d'attitudes corporelles qui s'y montre, combien le rapport de force politique est sous-tendu par un rapport à la culture, et singulièrement à la culture légitime qui établit une dissymétrie entre les agents, possesseurs ou possédés par cette culture. Cette photo illustrerait bien, de manière paradigmatique, les rapports de force dissymétriques qui s'établissent entre le représentant syndical « dans ses petits souliers » face au patron, propriétaire légitime des lieux, parce que propriétaire légitime de la culture qui habite les lieux. On ne peut ignorer que *La Distinction*, sous couvert d'une analyse apparemment ponctuelle de la distribution des goûts, montre comment la domination politique passe par les voies

13. *Questions de sociologie, op. cit.*, p. 43.

de la culture. Ce qui se construit dans la mise en œuvre de la logique de distinction que tous les agents utilisent pour se classer et classer les autres, c'est une hiérarchie de classes sociales dont la réalité est à la fois objective parce qu'elle correspond à des conditions d'existence différentes, et à la fois subjective parce qu'elle correspond à la formation de goûts distincts et distinctifs. De ce point de vue, Bourdieu montre que l'égalité formelle garantie formellement par le contrat social qui donne à chaque individu le même pouvoir de s'exprimer et de peser sur les décisions proprement politiques cache une participation inégale des classes sociales au débat public déterminé par un rapport inégal à la culture légitime. En effet, dans la mesure où ce débat s'organise sur un mode proche de la dissertation scolaire, par l'expression d'idées générales et abstraites, par la mise en œuvre d'un jeu rhétorique formel, le sentiment de légitimité à y intervenir est inégalement distribué. De fait, l'organisation formelle du débat public est ajustée à l'*habitus* cultivé qui repose sur une capacité de généralisation, très différent de l'*habitus* populaire qui va directement du particulier au particulier, véritable « sens pratique » orienté par et pour l'action. Bien plus, l'*habitus* cultivé, on l'a vu, repose en partie sur la capacité à examiner et débattre par jeu et valorise l'acquisition de connaissances pures, dénuées de fonctions immédiatement pratiques. Or, précisément, le débat politique pose la plupart du temps des questions et des débats très abstraits, qui n'ont que peu de conséquences directes sur la vie quotidienne. Se tenir informé en lisant la presse, et singulièrement la presse nationale qui accorde une place non négligeable à l'actualité internationale et aux débats d'idées, suppose donc une éducation spécifique qui reste très étrangère aux classes populaires. À travers une étude détaillée des taux de non-réponses à des sondages d'opinion, Pierre Bourdieu montre bien que les questions posées dans ces sondages ne sont ni culturellement ni politiquement neutres. Ainsi, les taux de non-réponses augmentent considérablement dans les classes populaires lorsque les questions posées se présentent sous une forme relativement générale ou traitent de questions sur lesquelles le citoyen de base n'a aucune influence (comme les questions de politique étrangère). Il est d'ailleurs caractéristique que les questions posées prennent quelquefois le tour de sujets de dissertation, ce qui entraîne des effets d'imposition produisant les réponses attendues. Les mêmes effets d'imposition peuvent être constatés dans les différences entre hommes et femmes, l'opposition entre *habitus* masculin et *habitus* féminin s'établissant en partie sur l'opposition du général et du particulier. Les taux de réponses, à peu près égaux pour les deux sexes lorsque les questions sont présentées sous forme de choix éthiques ou impliquent une projection personnelle du sondé, se séparent nettement lorsque la même question sur le fond est posée d'un point de vue plus général et directement politique. Autant dire que la fiction du sondage, qui implique une égalité qui n'existe que dans l'imaginaire des sondeurs devant la question, néglige totalement la question des domaines de compétence et de la compétence reconnue comme légitime dans la production des réponses. Dès lors, « les chances de répondre se définissent, en chaque cas, dans la relation entre une question (ou, plus généralement, une situation) et un agent (ou une classe d'agents) défini par une compétence déterminée, capacité qui est elle-même à la mesure des chances d'exercer cette capacité [14] ». La même fiction prévaut lors des consultations électorales qui manifestent régulièrement

14. *La Distinction, op. cit.,* p. 473.

des taux d'abstention différents selon les classes sociales et le capital scolaire. Autant dire avec Bourdieu que le système politique français balance constamment entre un spontanéisme démocratique et un point de vue technocratique qui réserve la décision politique aux seuls experts, balancement qui a pour conséquence de conduire de larges pans de la société à s'exclure librement du jeu démocratique. D'où cette idée que « l'opinion publique n'existe pas[15] » parce qu'elle est directement produite, par le biais d'effets d'imposition divers, par les instruments qui sont censés la mesurer.

Bourdieu a toujours eu le sentiment, exprimé à de nombreuses reprises, que les théories les plus importantes se construisaient sur l'analyse des objets les plus triviaux. Qu'y a-t-il de plus infime et de plus insignifiant en apparence que le choix d'un meuble, d'un vêtement, le goût pour telle photographie plutôt que pour telle autre, ou encore les manières de manger ou, comme on dit, de « se tenir à table » ? Mais précisément, c'est sur ces goûts et manières les plus immédiats que les agents manifestent l'intolérance la plus marquée, signe de leur importance pratique. Si l'analyse sociologique a souvent négligé d'analyser de telles pratiques, c'est parce qu'elle définit la dignité des objets d'analyse en fonction d'un inconscient social mal maîtrisé. *La Distinction* montre au contraire que c'est par ces pratiques et goûts que les structures de domination politique au sens large s'édifient et se perpétuent.

15. *Questions de sociologie, op. cit.,* p. 222 sq., et *La Misère du monde, op. cit.,* pp. 903 sq.

[illegible]

[illegible]

On a déjà [illegible] l'institution scolaire joue un rôle particulièrement important dans la sociologie de Pierre Bourdieu. L'école apparaît en effet comme une pièce maîtresse dans le dispositif assurant la reproduction de la domination. Elle est une de ces institutions évoquées dans *Le Sens pratique* qui dispensent les dominants de recourir constamment à la domination personnelle, en garantissant sociale[illegible] leur position dominante. Avant d'aborder en détail la partie de l'œuvre consacrée à la sociologie de l'éducation, et notamment la trilogie que constituent *Les Héritiers*, *La Reproduction* et *La Noblesse d'État*, il convient cependant de garder à l'esprit un certain nombre de particularités propres à cette œuvre.

[illegible]

3. L'ÉCOLE OU LA LÉGITIMATION DE LA REPRODUCTION

On a déjà eu l'occasion de le constater, l'institution scolaire joue un rôle particulièrement important dans la sociologie de Pierre Bourdieu. L'école apparaît en effet comme une pièce maîtresse dans le dispositif assurant la reproduction de la domination. Elle est une de ces institutions évoquées dans *Le Sens pratique* qui dispensent les dominants de réassurer constamment leur domination personnelle, en garantissant socialement pour eux et leurs descendants leur position dominante. Avant d'aborder en détail la partie de l'œuvre bourdieusienne qui traite de la sociologie de l'éducation, et notamment la trilogie que constituent *Les Héritiers, La Reproduction et La Noblesse d'État*, il convient cependant de garder à l'esprit un certain nombre de particularités propres à cette œuvre.

Tout d'abord, *Les Héritiers* et *La Reproduction*, tous deux écrits en collaboration avec Jean-Claude Passeron, reposent pour l'essentiel sur des enquêtes qui ont été effectuées en 1962-1963 et dont les résultats ont été publiés dès 1964 [1]. Par ailleurs, ces deux ouvrages, comme la plupart des recherches effectuées par Bourdieu et Passeron en sociologie de l'éducation, portent non pas tant sur l'école, primaire et secondaire, que sur les études supérieures et singulièrement l'enseignement universitaire. Le choix de tels objets d'étude n'est évidemment pas anodin : les années soixante sont marquées par une crise sans précédant de l'université française qui voit affluer des masses étudiantes, issues pour une bonne part de classes sociales traditionnellement écartées de l'enseignement supérieur. C'est donc à une double crise qu'on assiste alors, crise quantitative résolue tant bien que mal par un recrutement accéléré d'enseignants (dont le statut social évolue donc rapidement), crise qualitative dans la mesure où les nouveaux publics de l'université contraignent celle-ci à s'interroger sur ses pratiques pédagogiques (ou plutôt son absence de pratique pédagogique).

Pour les deux sociologues, la période de crise que traverse leur objet d'étude est une situation quasi expérimentale qui leur fournit la possibilité de mettre au jour des mécanismes cachés en période de fonctionnement « normal » de l'institution scolaire. De toutes les institutions sociales, c'est sans doute l'institution scolaire qui produit la plus grande mystification sur son mode de fonctionnement réel et voile le plus efficacement sa fonction sociale. L'importance de la mystifi-

1. *Les Étudiants et leurs études,* Mouton, Paris, 1964.

cation est à la mesure du rôle qu'elle joue dans la distribution des positions dans l'espace social et de la transmission de ces positions entre les générations. Dès lors, la crise vécue par l'université dans les années soixante a brisé temporairement le cercle magique de la relation enchantée que la société établissait avec son école, permettant une investigation sociologique approfondie, qui ne se laisse plus prendre au charme.

Mais situer historiquement de telles recherches, c'est prendre le risque de les réduire au constat d'une situation historique particulière, valable uniquement pour cette situation. Le risque est d'autant plus grand que l'institution scolaire a beaucoup évolué depuis cette époque, aussi bien du point de vue de ses structures que du contenu de l'enseignement, et ce, en partie du fait des ouvrages publiés par Bourdieu et Passeron qui ont joué un rôle non négligeable dans la contestation étudiante du mandarinat[2] en 1968. Et de fait, nombre de remarques écrites à cette époque semblent aujourd'hui n'avoir plus d'objet, tant l'enseignement dans le secondaire comme dans le premier cycle du supérieur a changé et change continuellement. Pierre Bourdieu a souvent contesté cette relativisation historique de son travail sur l'éducation, montrant que celui-ci en fait mettait au jour des structures de relations (entre disciplines, entre écoles, entre classes sociales, etc.) dont la forme n'a pas changé malgré les transformations qu'a connues l'enseignement supérieur depuis trente ans. Il montre ainsi, par exemple, que la « démocratisation de l'enseignement », régulièrement célébrée depuis trente ans, n'est qu'une démocratisa-

2. Raymond Aron rappelle avec horreur dans ses *Mémoires* que les étudiants en 1968 « usaient et abusaient des idées publiées dans le livre *Les Héritiers* ». R. Aron, *Mémoires,* Julliard, Paris, 1989, p. 474.

tion en trompe-l'œil, la massification de l'enseignement universitaire et des diplômes qu'elle délivre entraînant automatiquement leur dévaluation, selon le processus bien connu de l'inflation. Plus profondément, la logique de distinction qui construit dans l'enseignement des structures différentielles distinguant les classes sociales est, elle, toujours présente au cœur du système éducatif. La preuve la plus éclatante en est le cas des grandes écoles, analysé en détail dans *La Noblesse d'État*, dont le recrutement social est aujourd'hui encore plus étroit qu'il y a trente ans, en partie d'ailleurs du fait de la massification du système universitaire.

Les thèses développées par Bourdieu et Passeron ont, pour une bonne part, marqué les réformes pédagogiques depuis trente ans. Disposant de véritables relais parmi les professionnels de l'éducation, ces thèses ont été largement divulguées, médiatisées... et déformées. Souvent réduites à l'idée de l'« enseignement de classe » ou de l'« école bourgeoise », elles ont semblé véhiculer l'idée chez beaucoup que l'école était un pur instrument aux mains de la bourgeoisie afin de sauvegarder ses privilèges. Les analyses des deux sociologues ne se réduisent évidemment pas à cette vulgate politique et militante. Elles reposent, au contraire, sur la proposition selon laquelle l'institution scolaire ne remplit jamais mieux sa fonction de reproduction sociale que lorsqu'elle affirme dans son mode de fonctionnement et ses méthodes son indépendance à l'égard des hiérarchies du corps social. Autrement dit, c'est lorsqu'elle semble la plus indépendante à l'égard des valeurs de la société globale, lorsqu'elle affirme le plus l'autonomie de ses propres valeurs et de ses propres principes de classement et d'évaluation, qu'elle contribue le plus efficacement à la reproduction de la domination et de la hiérarchie sociale. Ici, la mystification et le voilement des rapports de force qui sont au fondement des hiérarchies sociales ne sont plus seulement un obstacle à la connaissance sociologique, mais deviennent l'objet même de cette connaissance. Les deux sociologues résument très bien quoique de manière très théorique le cœur de leur propos dans la première proposition de *La Reproduction* : « Tout pouvoir de violence symbolique, c'est-à-dire tout pouvoir qui parvient à imposer des significations et à les imposer comme légitimes en dissimulant les rapports de force qui sont au fondement de sa force, ajoute sa force propre, c'est-à-dire proprement symbolique, à ces rapports de force[3]. » À quoi il faut immédiatement ajouter : « Toute action pédagogique est objectivement une violence symbolique en tant qu'imposition, par un pouvoir arbitraire, d'un arbitraire culturel[4]. » Autrement dit, l'action pédagogique fonctionne d'autant mieux comme violence symbolique qu'elle dissimule sa fonction et qu'elle dissimule aussi les rapports de force qui sont au fondement de sa fonction. Dès lors, l'action pédagogique apparaît comme une instance de légitimation du résultat des rapports de force au sein du corps social : la hiérarchie sociale qui peut apparaître comme profondément injuste ou plutôt illégitime parce qu'elle est le résultat d'un rapport de force et d'une transmission familiale est légitimée par l'institution scolaire qui lui superpose une hiérarchie scolaire définie par l'application de ses propres critères de hiérarchisation. C'est dans la mesure seulement où les critères de hiérarchisation scolaire s'affirment comme indépendants de la hiérarchie sociale que l'opération de légitimation de la hiérarchie sociale peut être efficace. Ainsi vue de loin, l'école apparaît comme une « boîte noire » qui trans-

3. *La Reproduction, op. cit.*, p. 18.
4. *Ibid.*, p. 19.

forme par opération alchimique une hiérarchie sociale non légitimée parce que reposant sur la force et l'héritage en une hiérarchie sociale peu ou prou identique mais légitimée par la sanction de titres scolaires dont le principe d'attribution est censé être indépendant de toute considération sociale. C'est là le fondement ultime de la reproduction de la domination.

Mais il faut immédiatement ajouter qu'il ne s'agit que d'une perception globale du système d'enseignement, perception qui doit être corrigée par l'introduction de facteurs secondaires. En effet, en lui faisant subir l'opération nécessaire de légitimation, l'institution scolaire ne reproduit pas à l'identique la hiérarchie sociale d'origine. Hiérarchie sociale et hiérarchie scolaire sont en effet globalement superposables – comme l'indiquent très nettement les statistiques de distribution des classes sociales par diplôme –, mais pas complètement non plus. La principale distorsion qu'elle fait subir à la hiérarchie sociale est évidemment l'introduction de ses propres agents (chercheurs et professeurs) dans cette hiérarchie par le biais de la hiérarchie scolaire dont ils prennent les premières places. Institution concrète autant que fonctionnelle, l'école en agissant sur la hiérarchie sociale fournit aux individus sur lesquels repose son fonctionnement la possibilité de s'insérer au plus haut de la hiérarchie sociale. C'est, semble-t-il, le prix à payer pour garantir la reproduction de la domination. D'où l'émergence de cette structure en chiasme, si caractéristique de la sociologie bourdieusienne qui voit s'opposer, au plus haut de la hiérarchie sociale, capital économique et capital scolaire. Mais parmi les classes dominantes, la noblesse intellectuelle forme une fraction dominée de cette classe, parce qu'elle doit son statut à une institution définie essentiellement par sa fonction (de reproduction sociale).

Dans un court passage de *La Noblesse d'État*, Bourdieu n'est pas loin de reconnaître dans la structuration de l'espace social un lointain reflet de la tripartition fonctionnelle révélée par Georges Dumézil dans les sociétés européennes : si les guerriers et les prêtres s'accordent pour dominer les producteurs, ceux-ci fournissant à ceux-là la légitimité pour asseoir une domination qui ne peut reposer uniquement sur la force, les deux fractions dominantes s'opposent continuellement sur la définition du « principe dominant de domination ». Et cette opposition n'est pas moins réelle que leur collaboration dans la mise en place de la domination. Il est important de comprendre qu'il n'y a pas de double jeu cynique ou de tromperie de la part des agents qui permettent à l'institution scolaire de remplir ses fonctions. Croyant sincèrement à la supériorité de la légitimité de la hiérarchie scolaire sur la domination économique, ils contribuent, d'autant plus efficacement qu'ils le font contre leur gré, à assurer une légitimité à la hiérarchie sociale. C'est pourquoi, malgré les aléas conjoncturels du rapport de force entre les deux fractions de la classe dominante, la fraction intellectuelle ne peut que rester structurellement dans une position dominée étant donné sa fonction et le fait qu'elle méconnaisse celle-ci.

Mais il est temps, après une introduction longue cependant rendue nécessaire par les nombreux malentendus dont est entourée la sociologie bourdieusienne, d'examiner les mécanismes à l'œuvre au sein de la « boîte noire », aboutissant à la légitimation d'une hiérarchie sociale globalement inchangée.

COMMUNICATION PÉDAGOGIQUE ET VIOLENCE SYMBOLIQUE

Dans *La Reproduction*, Bourdieu et Passeron choisissent habilement de partir d'une interrogation naïve et sans procès d'intention : « Cette recherche est née de l'intention de traiter le rapport pédagogique comme un simple rapport de communication et d'en mesurer le rendement, c'est-à-dire, plus précisément, de déterminer les facteurs sociaux et scolaires de la réussite de la communication pédagogique par l'analyse des variations du rendement de la communication en fonction des caractéristiques sociales et scolaires des récepteurs[5]. » Poser la question pédagogique en ces termes, c'est mettre en évidence le rôle considérable que joue la notion de capital linguistique (sous la forme de la maîtrise savante de la langue savante) dans l'efficacité de la communication. Si la communication pédagogique dans l'institution universitaire fonctionnait si bien jusque dans les années soixante, c'est précisément parce que l'institution scolaire opérait en amont une opération de sélection sociale définissant un public universitaire dont le capital linguistique était ajusté aux conditions requises de la communication pédagogique. Étant donné qu'une bonne part du capital linguistique est directement dépendante de l'*habitus* de classe, on assistait dans ce processus de sélection à une sous-sélection des classes dominantes (dont une part importante accédait à l'enseignement supérieur) et à une sur-sélection des classes populaires. C'est pourquoi, par l'effet du mécanisme de sur-sélection, les individus issus des classes populaires accédant aux études supérieures avaient des résultats globalement supérieurs aux

5. *Ibid.*, p. 89.

individus issus des classes supérieures, sous-sélectionnés. Mais l'ensemble du système se dérègle évidemment à partir du moment où sont menées des politiques d'ouverture de l'université au plus grand nombre. L'effet de sur-sélection est alors annulé et la déperdition dans le rapport de communication s'accroît considérablement et surtout de manière différentielle. L'illusion d'une « égalité des chances » entre classes sociales devant l'enseignement universitaire se dissipe et l'inégalité globale qui a toujours frappé l'ensemble du système éducatif sauf l'université, du fait de la sélection différentielle qui lui assurait un public homogène, se retrouve dorénavant au cœur de l'enseignement supérieur. Cela revient au constat maintenant bien connu : en faisant entrer dans l'université des publics jusqu'alors soigneusement tenus à l'écart, l'université doit gérer des problèmes dus à l'hétérogénéité de son public (ce qui n'était pas le cas auparavant) qui se posent à elle sous la forme de problèmes pédagogiques (ce qu'elle n'a jamais su gérer, n'ayant pas à le faire). On a là la nature exacte de la crise du système universitaire français depuis les années soixante jusqu'à aujourd'hui.

LE PROFESSEUR EN CHAIRE OU LE SAVOIR COMME SACRÉ

Mais mettre ainsi en évidence l'ampleur de la déperdition d'information dans un rapport pédagogique considéré comme rapport de communication (ce qu'il s'affirme être officiellement), c'est mettre en lumière le fait que le rapport pédagogique n'est pas un rapport de communication. La parole universitaire procède d'une autre logique que celle d'une simple transmission d'information. Une analyse un tant soit peu ethnologique des conditions de déploiement de la parole universitaire (et singulièrement dans le système français qui privilégie le « cours magistral », proféré *ex cathedra*, et dont l'inefficacité en termes de communication est avérée), montre facilement que cette parole plus qu'à une fonction de communication correspond à une fonction d'incantation dont l'objectif souterrain est d'assurer l'autorité pédagogique de celui qui la profère. Un peu comme le prêtre dont l'autorité sacrée s'affirme à travers le déploiement d'un cérémoniel qui utilise les ressources de l'espace (la chaire), du langage (le latin) et du costume (la chasuble), le professeur d'université assure l'autorité sacrée de son enseignement à travers l'organisation spatiale de l'« amphi » et le déploiement d'un langage savant dont il se garde bien d'expliquer les arcanes. Utiliser la notion de sacré ici, ce n'est pas jouer avec les mots tant on retrouve la définition fameuse qu'en propose Durkheim dans *Les Formes élémentaires de la vie religieuse*, comme ce qui est interdit, séparé du commun des mortels. Dès lors, le cours magistral apparaît moins comme un moyen de transmettre des informations que comme une expérience d'acculturation où l'enseignant propose à l'imitation de ses disciples l'utilisation particulière d'une langue particulière, imitation qu'il s'agira de savoir reproduire dans la dissertation. L'exercice de la dissertation, dans ce qu'elle a d'artificiel et de formel, offre à l'étudiant toutes les ressources lui permettant de masquer son absence de connaissances ou de compréhension. Parce qu'en l'occurrence, ce n'est évidemment pas cela qui importe, mais plutôt la capacité à montrer que l'on sait imiter des manières, un style – dont on connaît l'importance dans l'évaluation d'une « copie » –, en un mot, une langue savante. En témoignent les catégories d'évaluation utilisées par les correcteurs, jugeant les copies « nulles », « médiocres »,

« honnêtes », ou au contraire « brillantes », et qui montrent bien la nature de l'évaluation. Et si cela ne suffisait pas, encore pourrait-on évoquer le rituel de l'oral où le candidat, par un ensemble de signes imperceptibles comme le ton de la voix, le débit ou l'utilisation de tournures, expose sa capacité à singer ses professeurs. Qu'y a-t-il de plus significatif que cette épreuve orale et royale de l'agrégation, si justement nommée la « leçon », où le candidat doit faire preuve de la même facilité oratoire, de la même aisance retenue que celle de ceux qui l'évaluent ?

Finalement, ce que Bourdieu et Passeron révèlent dans leur analyse de l'enseignement universitaire, c'est une logique de reconnaissance réciproque entre professeurs et étudiants, logique fondée sur l'échange de signes de reconnaissance indiquant un rapport partagé à la culture et au langage. La concordance entre l'*habitus* cultivé analysé en détail dans *La Distinction* et les exigences de l'institution scolaire en matière de rapport au langage et à la culture, associée à l'absence d'interrogation de la part des enseignants sur la qualité du rapport de communication qu'ils établissent avec leurs étudiants, concourt à la pleine efficacité d'une reproduction sociale ignorée par l'institution universitaire. Il est bien clair en effet que tout pousse l'enseignant à se désintéresser des fonctions strictement pédagogiques d'aide à l'organisation du travail, de recherche bibliographique, de maîtrise du code linguistique, à commencer par les étudiants eux-mêmes qui l'interpréterait comme une dévalorisation de leurs études. Il n'est donc pas besoin de chercher un quelconque enseignement « bourgeois », ou la transmission de valeurs bourgeoises pour comprendre les mécanismes de reproduction sociale à l'œuvre à l'école, comme le suggérerait une critique naïve. Si l'école était une école de classe, s'affichant comme telle, et directement dépendante de la hiérarchie sociale, elle ne pourrait évidemment pas jouer son rôle de légitimation de la reproduction. La « ruse de la raison universitaire[6] » repose, en effet, sur la liberté laissée au système d'enseignement quant à l'organisation de ses pratiques et valeurs. C'est précisément cette liberté, revendiquée et affirmée, qui lui permet de remplir aussi efficacement sa fonction sociale de reproduction.

On le voit, l'autonomie de l'institution scolaire par rapport aux fonction sociales qu'on pourrait lui assigner par ailleurs, fonction de formation professionnelle par exemple, est au cœur de la problématique. Le rêve technocratique d'une école perpétuellement adaptée dans son fonctionnement aux besoins de qualification du marché du travail est condamné à rester dans le registre performatif parce qu'il ignore les fonctions cachées de l'institution scolaire. Et les enseignants ne défendent jamais mieux ces fonctions méconnues par eux que lorsqu'ils défendent l'autonomie du système éducatif par rapport aux besoins du monde économique. D'ailleurs, le rêve technocratique se réaliserait-il, par la mise en œuvre d'une pédagogie différenciée par exemple, par des procédures d'enseignement et d'évaluation centrées sur des compétences techniques, que ces fonctions n'en seraient pas moins bien servies dans la mesure où la valeur sociale de la qualification est directement fonction de sa rareté relative, et où l'organisation même du marché du travail ne correspond pas elle-même à une pure logique de compétences techniques. Comment ne pas méconnaître que le salaire, par exemple, n'est pas directement dépendant de la nature du travail effectué, mais avant tout de la qualification garantie par le diplôme ? Comment expliquer autre-

6. *Ibid.*, p. 159.

ment l'existence des grilles de salaire par exemple qui instituent des rémunération différentes pour des mêmes postes sur la base du rang des écoles d'ingénieur ? Et, au sein même du système éducatif, de la variation de rémunération entre agrégés, bi-admissibles, certifiés, maîtres-auxiliaires, etc., accomplissant tous la même fonction d'enseignement ? Autrement dit, l'effet de hiérarchisation auquel aboutit la hiérarchie scolaire est intimement lié à une demande de hiérarchisation qui lui est externe et qui émane de l'espace social.

UN RAPPORT MYSTIFIÉ AUX ÉTUDES

Il n'est pas difficile de montrer que tout au sein de l'institution universitaire contribue à masquer aux yeux des étudiants, comme de leurs professeurs, les fonctions sociales réelles ou supposées de l'institution à laquelle ils participent. Des lieux particuliers, un calendrier particulier, un usage particulier du temps contribuent à donner à l'étudiant le sentiment de la particularité de son statut, hors du reste de la société et de ses exigences habituelles. De même, il est caractéristique que les étudiants entretiennent souvent un rapport mystifié à leurs études, celles-ci leur apparaissant comme une fin en soi, sans rapport aucun avec une vie professionnelle qu'elles sont pourtant censées préparer[7]. Cette mystification est encouragée par les professeurs dans la mesure où reconnaître la fin réelle des études les renverrait à un rôle peu gratifiant d'auxiliaires pédagogiques. On voit donc comment étudiants et enseignants se renvoient mutuellement une image mystifiée de leur travail, image qui leur donne le sen-

7. *Les Héritiers, op. cit.,* p. 87.

timent de s'arracher temporairement pour les uns, définitivement pour les autres, aux contraintes sociales. Et c'est précisément cette illusion d'une liberté essentielle par rapport aux exigences que la société formule à l'égard de l'institution scolaire, d'une autonomie de valeurs et de pratiques, qui lui permet de satisfaire au mieux ces exigences.

Mais bien sûr, la mystification et la capacité à jouer le jeu universitaire ne sont pas les mêmes pour tous les étudiants et l'étrangeté que peut représenter l'expérience d'une vie d'étudiant est inégalement distribuée selon les classes sociales. On a pu voir comment ce « jeu sérieux » que constitue la vie universitaire est étranger à l'*habitus* populaire, tout entier défini par un rapport particulier à la nécessité économique et à la rentabilité pratique des connaissances pratiques. Aussi l'acquisition de l'*illusio* spécifique au champ universitaire qui consiste à prendre au sérieux les jeux sérieux de l'université revient-elle à une expérience d'acculturation que ne connaissent pas les étudiants issus de la bourgeoisie dans la mesure où ils ont hérité de cette capacité à se prendre de sérieux pour des connaissances pures et « désintéressées », héritage qui constitue le cœur du rapport bourgeois à la culture. On est assurément ici au plus profond du mécanisme de reproduction qui caractérise le fonctionnement du système scolaire : la continuité entre les exercices formels et artificiels qu'est amené à accomplir l'étudiant tout au long de son cursus et le rapport particulier à la culture que connaissent les classes bourgeoises déterminent une inégalité structurelle dans le recrutement universitaire. La mise entre parenthèses du monde social et de la nécessité économique propre à la condition d'étudiant est d'ailleurs elle-même accordée à l'*habitus* bourgeois et à la dénégation du monde social qui le caractérise. Enfin, l'égalité formelle qu'établit l'institution universitaire face à l'examen et au concours anonyme renforce la sélection différentielle par classe sociale au sein de l'institution. C'est précisément parce qu'elle ne prend pas en compte la classe sociale d'origine des étudiants qu'elle évalue et auxquels elle enseigne, que l'université renforce l'inégalité des chances entre étudiants issus de classes différentes. Cette égalité formelle joue donc le double rôle de renforcer l'efficacité de la reproduction mise en œuvre par tout le système, et de légitimer cette reproduction en lui donnant l'apparence de l'égalité des chances.

PRODUCTION ET REPRODUCTION DE LA NOBLESSE D'ÉTAT

Cependant, l'analyse des fonctions sociales de l'institution scolaire ne serait pas complète si n'était évoquée sa capacité à produire des distinctions entre classes sociales, selon une logique proche de la distinction culturelle. De même que la distinction culturelle produit des unités discrètes et distinctes en découpant arbitrairement dans le continuum des niveaux de revenus, de même l'effet de qualification que produit l'institution scolaire par le biais de la délivrance de diplômes et de titres découpe dans la masse étudiante indifférenciée des niveaux hermétiques entre eux. C'est dans cette opération qui consiste à trancher entre le dernier reçu et le premier collé que se dévoile pleinement la fonction de hiérarchisation de l'école : l'institution scolaire distingue normaliens, agrégés, ingénieurs, polytechniciens de ceux qui ne le sont pas en transformant une différence conjoncturelle (la réussite ou l'échec aux concours) en distinction d'essence. On ne voit jamais mieux cette logique à l'œuvre qu'au sein des grandes écoles, cette particularité du système d'enseignement français, analysée en détail par Bourdieu dans *La Noblesse d'État*. Archétype de la fonction de hiérarchisation par laquelle le système d'enseignement français se définit essentiellement, le couple que forment les classes préparatoires et les grandes écoles a pour but de produire une noblesse scolaire se distinguant par essence de la masse indifférenciée des autres formations. À ceux qui douteraient de la nature éminemment sociale de la sélection opérée par les grandes écoles, Bourdieu propose une lecture attentive des commentaires apposés par un professeur de philosophie d'une khâgne parisienne en marge de copies corrigées pendant quatre ans[8]. Reconstituant l'espace de distribution des qualificatifs employés en fonction de l'origine sociale des élèves, il montre combien les qualificatifs sont plus élogieux à mesure qu'on s'élève dans la hiérarchie sociale. Plus profondément, le système d'appréciations fonctionne comme une machine cognitive qui a pour résultat d'appréhender des différences sociales (à travers notamment les *habitus*) sous les apparences de différences purement scolaires. Ainsi les qualificatifs de « brillant », « subtil », « intelligent » sont-ils attribués majoritairement aux enfants de professeurs ou de professions libérales prestigieuses, les classes moyennes recevant le plus souvent les qualificatifs de « scolaire », « honnête », « maladroit » qui caractérisent si bien la bonne volonté culturelle dont elles font preuve. À l'autre extrême du spectre social, les qualificatifs les plus désobligeants, et les moins euphémisés quant à la sévérité de la critique, sont réservés aux classes les plus défavorisées. On ne peut qu'être étonné de constater à quel point ces appréciations censées évaluer les qualités d'un travail recourent

8. *La Noblesse d'État, op. cit.*, pp. 48 sq.

au vocabulaire d'évaluation des personnes, sans que ni le professeur ni les élèves ne le remarquent. Plus encore, c'est bien aux catégories cognitives qu'utilise habituellement la bourgeoisie pour désigner les autres classes sociales et se désigner aussi que recourt l'enseignant. On reconnaîtra facilement derrière les termes employés les *habitus* de classe tels que la bourgeoisie les perçoit : le brillant de l'aisance et de la facilité pour elle-même, la mesquinerie et l'étroitesse laborieuse pour la petite bourgeoisie, vue comme une bourgeoisie en petit, la lourdeur, la niaiserie et l'ignorance pour les classes populaires. Il est évident que cette opération de transmutation des hiérarchies sociales en hiérarchie scolaire établie sur des critères sociaux d'évaluation se déroule à l'insu des agents concernés que l'objectivation de leur propre pratique ne peut que scandaliser (comme le montre amplement l'accueil qui a été fait à *La Noblesse d'État*). Le travail par lequel le professeur de khâgne, sous couvert d'évaluer le travail de ses élèves, évalue en fait leur *habitus* de classe, est évidemment totalement inconscient. Et c'est précisément parce qu'il est inconscient qu'il est si efficace à l'égard des étudiants qui se voient renvoyés à leur position de classe sous la forme méconnue-reconnue de la capacité scolaire.

L'objectif de *La Noblesse d'État* consiste donc à montrer comment l'action pédagogique qui se trouve au cœur du système des grandes écoles fonctionne comme un « rite d'institution, visant à produire un groupe séparé, et sacré[9] » en se demandant si « la fonction technique des écoles d'élite n'a pas pour effet de masquer la fonction sociale d'exclusion rituelle qu'elles remplissent, de donner les dehors d'une justification

9. *Ibid.*, pp. 101 sq.

rationnelle aux cérémonies du sacre par lesquelles les sociétés prétendant à la rationalité produisent leur noblesse[10] ». Ce faisant, le sociologue dépasse le cadre d'une sociologie de l'éducation au sens strict en explorant un domaine que l'on a déjà rencontré dans l'exploration de la domination, à savoir le champ du pouvoir. D'une certaine manière, le système des grandes écoles présente à l'état pur la fonction de hiérarchisation et de légitimation des hiérarchies sociales qu'accomplit quotidiennement l'ensemble du système scolaire. Il repose en effet entièrement sur l'effet de séparation intimement associé à celui de distinction qui fonde toutes les hiérarchies. Il serait naïf en effet de croire que l'enfermement et la coupure d'avec la vie courante subie par les élèves des classes préparatoires ne sont qu'une conséquence non voulue et accidentelle de la dureté de la sélection opérée lors des concours. Bourdieu montre, au contraire, que c'est précisément cet enfermement qui, remodelant l'individu et le coupant du reste de la société, produit une noblesse distincte et différente du commun des mortels, c'est-à-dire très exactement sacrée. L'objectif du concours est évidemment là pour justifier la particularité d'une formation qui n'a d'autre fin que sa particularité, même si on peut reconnaître çà et là des éléments préparatoires à une future vie professionnelle de cadre (comme la gestion du temps, par exemple). Mais là n'est sans doute pas le plus important car la valeur de ces filières de formation ne se forme que par opposition à d'autres filières, comme la filière universitaire en France dont le mode de fonctionnement est totalement différent, la valeur de la formation que procurent les classes préparatoires ne prenant sens qu'à l'intérieur d'une organi-

10. *Ibid.*

sation dualiste de l'enseignement supérieur. Le modèle du rite de passage proposé par Arnold van Gennep[11], caractérisé par ses deux étapes de séparation et d'agrégation, et que Bourdieu qualifie comme un « rite d'institution », semble donc pouvoir rendre compte de la particularité des grandes écoles. Entièrement livrés à l'institution qui leur enlève l'espace de quelques années toute valeur sociale (autre que celle qu'elle leur reconnaît), les individus reçoivent à l'issue de leur formation une valeur sociale légitimée et consacrée par le titre scolaire qui leur attribue une essence supérieure dont ils tireront bénéfice toute leur vie. Les cérémonies d'investiture, ainsi que la publication des résultats de concours dans les grands quotidiens nationaux, sont là pour rappeler à tous l'existence d'une élite supérieure par nature destinée à assurer la conduite de la nation. Car ce que sanctionne le titre, c'est moins une compétence technique spécialisée – laquelle a de grandes chances de devenir obsolète avec le temps – qu'une dignité essentielle qui s'inscrit au-delà de la question de la compétence. Écoles du pouvoir avant toute chose, les grandes écoles ont pour fonction de produire une élite séparée, reconnue comme telle par l'ensemble de la nation, et indépendante du mouvement de spécialisation technique qui touche l'organisation du travail social. « Spécialistes du général », les élèves des grandes écoles vivent souvent leur expérience de manière enchantée, dans la mesure où ils leur doivent la totalité de leur valeur sociale, distincte et séparée du reste de la nation.

Mais ce n'est qu'une première approche des grandes écoles, qui découle directement, on l'a vu, de la fonction de production d'une hiérarchie légitime et d'une

11. Arnold van Gennep, *Les rites de passage*, Nourry, Paris, 1909.

reproduction de la domination qu'accomplit l'ensemble du système scolaire. S'en tenir là ce serait ignorer l'existence et l'importance des rapports de force au sein du champ du pouvoir qui fait lui-même l'objet d'une lutte pour la domination, ce qui n'est pas sans conséquence sur les relations que les grandes écoles établissent entre elles. Ainsi peut-on tenter de reconstituer un sous-champ des grandes écoles dont l'organisation est en situation d'homologie structurale avec l'organisation du champ du pouvoir. Il n'est dès lors pas difficile de reconnaître l'organisation du champ des grandes écoles comme étant polarisée par l'opposition propre au champ du pouvoir entre capital intellectuel et capital économique, retraduit dans le champ des grandes écoles comme un degré plus ou moins grand d'autonomie par rapport aux positions de pouvoir. Cette opposition en recoupe une autre, entre la « grande porte » et la « petite porte » qui mesure la position sociale de chaque école en termes de prestige et de spécialisation (plus on va vers la « grande porte » moins l'enseignement est spécialisé). La superposition du champ des grandes écoles ainsi défini avec l'espace de distribution du volume et de la structure du capital hérité par les élèves permet de mettre en lumière l'homogénéité relative du recrutement de ces écoles. L'homologie structurale qui unit les deux espaces permet en effet d'orienter les choix des individus vers les institutions les plus à même de reconnaître la valeur de leur capital spécifique. Si l'on y superpose enfin l'espace des prises de position des élèves défini par la lecture des quotidiens ou les opinions politiques parmi d'autres critères, on comprend tout à fait le mode de fonctionnement de ce qu'on appelle habituellement l'« esprit de corps » dont la formation tient aussi bien à l'homogénéité du recrutement social qu'à celle de la formation.

Il est clair cependant qu'une représentation exacte

de la structure du champ ne peut se contenter d'en établir l'organisation synchronique tant il est vrai que cette structure est elle-même le résultat d'une lutte au sein des classes dominantes pour l'imposition d'un principe dominant de domination. Ainsi, la création des grandes écoles les moins autonomes à l'égard des pouvoirs temporels et les plus proches de la bourgeoisie économique, comme HEC, Sciences-po et, dans une moindre mesure, l'École nationale d'administration (ENA), manifeste-t-elle une réaction contre la tendance de la fraction intellectuelle de la classe dominante à s'attribuer le monopole de la qualification scolaire, ce qui lui confère une supériorité de fait dans le pouvoir de définir les hiérarchies sociales. Ici se révèle et se confirme tout à la fois la tension qui traverse toute l'institution scolaire : servant une fonction sociale de reproduction et de légitimation de la hiérarchie sociale, l'institution scolaire se trouve dans une position subordonnée dans le champ du pouvoir. Mais à l'inverse, assurant une fonction essentielle à la reproduction de la hiérarchie sociale, elle se trouve dotée d'un pouvoir démesuré par rapport à sa position subordonnée. D'où une lutte constante entre les deux fractions de la classe dominante qui se retrouve dans l'opposition entre les grandes écoles scientifiques qui forment la quintessence des principes sur lesquels se construit la hiérarchie scolaire (Écoles normales supérieures, Polytechnique), et les grandes écoles politico-économiques dont la dépendance par rapport à la hiérarchie scolaire est moindre et est contrebalancée par celle à l'égard du pouvoir politique et économique. De même que la définition et la distribution des goûts entre les deux fractions de la classe dominante ne tiennent pas essentiellement à leurs propriétés respectives mais à l'opposition structurale qui caractérise leurs relations, de même les différences dans la définition de l'« esprit de corps » qui caractérise chaque école ne peuvent être comprises qu'en fonction de l'opposition structurale qui organise les relations que les grandes écoles établissent entre elles. Les luttes de légitimité (popularisées sous forme de classement) qui opposent les grandes écoles entre elles ne sont jamais que l'expression, dans un champ structuré de manière homologue, de la lutte au sein du champ du pouvoir entre fraction économique et fraction intellectuelle de la classe dominante. L'homologie structurale entre les deux champs ne signifie évidemment pas que ceux-ci sont orientés de la même manière. Ainsi, tandis que la fraction intellectuelle de la classe dominante est dans une position dominée par rapport à la fraction économique dans le champ du pouvoir, les grandes écoles de la fraction intellectuelle sont dans une position dominante par rapport aux grandes écoles de la fraction économique dans le champ des grandes écoles, puisque celui-ci s'oriente en grande partie selon la hiérarchie scolaire. Ainsi retrouve-t-on ici un cas particulier du système de hiérarchies emboîtées et s'orientant de manière opposée qui est caractéristique du processus d'autonomisation des sous-champs à l'intérieur du champ du pouvoir[12]. Mais comme dans le champ littéraire, la domination des grandes écoles scientifiques dans le champ des grandes écoles est directement dépendante de l'autonomie globale du champ par rapport au champ du pouvoir. Ainsi, ce degré d'autonomie peut être directement mesuré par l'opposition entre l'École normale supérieure et l'ENA qui représentent les deux pôles de la « grande porte ». L'autonomie progressive acquise par l'ENA, la plus récente des grandes écoles, par rapport aux pratiques et valeurs de l'institution scolaire couplée

12. On se souviendra que le processus est tout à fait similaire en ce qui concerne la formation du champ littéraire.

à sa tendance à devenir la plus grande des grandes écoles au détriment de l'École normale manifeste pour Bourdieu un mouvement général d'affaiblissement de l'autonomie de l'institution scolaire dans son ensemble par rapport au champ du pouvoir[13].

AUTONOMIE DU CHAMP ET CYCLES DE LÉGITIMATION

Pour comprendre la nature et les enjeux de la lutte pour l'autonomie au sein du champ scolaire, il est nécessaire de reconstituer l'histoire de la lutte en y introduisant les changements économiques et sociaux qui en déterminent l'issue. Car l'évolution propre au champ économique et la modification de la structure capitalistique des grandes entreprises ont entraîné une redistribution des modes d'accession aux postes de direction au sein de celles-ci. La succession purement familiale à la tête d'une entreprise est aujourd'hui de plus en plus rare et, au contraire, la nécessité d'acquérir des titres scolaires prestigieux est de plus en plus répandue comme condition d'accès à ces postes. Si, globalement, on peut reconstituer le champ des entreprises en l'ordonnant sur un axe qui va des entreprises familiales (aussi bien du point de vue du capital que de la direction) aux entreprises « technocratiques » dont le capital est formé par un actionnariat dispersé et la direction nommée en conseil d'administration, il est clair que l'évolution historique tend à réduire l'importance des premières (dont la concentration se réduit désormais à la grande distribution) au profit des dernières. D'où une importance accrue des titres scolaires dans la transmission du statut social, notamment pour

13. *La Noblesse d'État, op. cit.*, p. 304.

les fractions économiques des classes dominantes. Le mouvement de réduction de l'autonomie du champ scolaire au sein du champ du pouvoir ne peut se comprendre sans l'évocation du mouvement inverse qui rend indispensable l'acquisition de titres scolaires pour le maintien dans la classe dominante. Plus largement, les évolutions à l'intérieur du champ des grandes écoles ne peuvent se comprendre sans une analyse détaillée des différents modes de reproduction des pouvoirs eux-mêmes et des classes qui détiennent un monopole dans l'exercice du pouvoir, ou plutôt des pouvoirs. Cette analyse doit prendre en compte différents niveaux de stratégie de reproduction, comme les stratégies de fécondité, les stratégies de placement scolaire ou les stratégies matrimoniales. Il reste que la possibilité d'appartenir aux fractions dominantes de la classe dominante repose sur de tout autres critères de sélection que la simple possession du titre scolaire. Il est clair en effet que le temps, c'est-à-dire en l'occurrence l'ancienneté d'appartenance à la bourgeoisie, joue un rôle primordial. Si aujourd'hui la possession du titre scolaire est indispensable dans la plupart des cas à l'exercice d'une fonction dirigeante au sein d'une grande entreprise, cette possession n'assure pas automatiquement un droit d'entrée au sein de l'« establishment économique ». Celui-ci est d'ailleurs lui-même subtilement hiérarchisé en fonction de l'ancienneté de la noblesse et de la nature des activités économiques représentées. Au sein donc des fractions dominantes de la classe dominante, la fraction économique des classes dominantes reste la plus étrangère à la hiérarchie scolaire. La réorganisation « technocratique » de la plupart des grandes entreprises qui implique la nécessité de détenir un titre scolaire en même temps que l'ouverture plus large de l'enseignement supérieur à des classes sociales qui en étaient auparavant exclues sont des facteurs qui ont entraîné un remaniement profond des stratégies de placement scolaire de la part de cette fraction de classe. En témoigne la multiplication de ces « écoles-refuges », écoles commerciales et écoles de gestion où les héritiers du capital économique viennent chercher le titre socialement garanti dont ils ont besoin pour légitimer la succession à la tête de l'entreprise familiale. L'organisation des études au sein de ces écoles qui dépendent directement du monde économique est évidemment très éloignée des valeurs proprement scolaires.

À l'autre extrémité du spectre, la production d'une « noblesse d'État » reste étroitement dépendante de l'institution scolaire dans la mesure où, historiquement, l'école a partie liée avec l'État. Comprendre la nature du lien qui unit l'État à son école, c'est tenter de comprendre les conditions historiques de production de l'idéologie typique de l'école républicaine, cette valorisation constante du mérite et du talent dont la possession permet de définir une noblesse d'État qui, par opposition à la noblesse de sang, doit son rang à l'un et à l'autre. Ainsi, si la noblesse d'État reste autant attachée à la représentation idyllique de l'école libératrice et garantissant dans son fonctionnement normal l'égalité des chances dont tous les travaux de sociologie de l'éducation montrent le caractère mythique, c'est que celle-ci légitime la distinction qui l'honore en lui attribuant le seul mérite. L'histoire, ou mieux la généalogie reste à faire de la relation circulaire qui unit si étroitement État et noblesse d'État, celui-là conférant à sa noblesse, par le seul pouvoir magique de sa capacité d'institution, un statut sacré, celle-là lui rendant ce qu'il a donné en contribuant à le construire et le renforcer, en manifestant un dévouement total au « service public » et en développant une philosophie politique légitimant son autonomisation par rapport aux pouvoirs qui lui sont étrangers, et notamment au pouvoir économique. L'autonomisation du champ bureaucratique[14] n'est qu'un cas particulier du mouvement général d'autonomisation des sous-champs à partir du champ du pouvoir, mouvement de division progressive du travail social décrit par Durkheim dès les débuts de la sociologie, qui peut être décrit, en ce qui concerne le champ du pouvoir, comme un mouvement de différenciation des pouvoirs. La naissance et la mise en place d'une école d'État disposant du monopole de distribution des qualifications représente un moment particulièrement important de ce mouvement général, dans la mesure où elle allonge les « cycles de légitimation », ce qui est un moyen de rendre plus efficace le processus même de légitimation de la domination. Il est clair en effet que celui-ci est d'autant plus efficace que sont plus grandes la distance et la différence entre celui qui est légitimé et celui qui légitime. La domination des classes dominantes sur les classes dominées ne peut être pleinement légitime (c'est-à-dire à la fois reconnue et méconnue par les dominés) que par la mise en place d'un corps indépendant et spécialisé de légitimation, ce qu'est effectivement l'école. Mais ce faisant, les classes dominantes prennent le risque de perdre le contrôle de leur domination (puisqu'elles en confient la légitimation à un corps spécialisé) et pire, d'être elles-mêmes dominées par ceux qui légitiment leur domination. C'est à ce conflit sur le principe légitime de domination que se résume pour l'essentiel la lutte entre fractions des classes dominantes, lutte qui a pour enjeu essentiel l'autonomie du pouvoir étatique (par la constitution d'un champ scolaire, d'un champ bureau-

14. P. Bourdieu, *Raisons pratiques,* Seuil, Paris, 1994.

cratique et d'un champ politique autonome) par rapport au champ indifférencié du pouvoir.

Pierre Bourdieu voit dans ce mouvement d'autonomisation les conditions de possibilité d'une société plus juste dans la mesure où « les progrès dans la différenciation des pouvoirs sont autant de protections contre la tyrannie, entendue, à la manière de Pascal, comme un empiètement d'un ordre sur un autre ou, plus précisément, comme une intrusion des pouvoirs associés à un champ dans le fonctionnement d'un autre champ. Non seulement parce que les dominés peuvent toujours tirer parti ou profit des conflits entre les puissants, qui, bien souvent, ont besoin de leur concours pour triompher dans ces conflits. Mais aussi parce qu'une des armes majeures dans ces luttes entre les dominants est l'universalisation symbolique des intérêts particuliers qui, même si elle est entreprise à des fins de légitimation ou de mobilisation, fait inévitablement avancer l'universel[15] ». Ainsi, la « séparation des pouvoirs » dont Bourdieu fait l'ultime rempart contre la tyrannie a peu de rapport avec la définition qu'on en donne habituellement. Elle repose sur une idée philosophique du juste comme respect des différences entre les différents ordres de valeurs. On n'est pas loin ici de l'idée exposée par l'historien et sociologue Norbert Elias d'un procès de civilisation reposant sur une différenciation progressive et toujours plus sophistiquée du travail social. La principale différence entre les deux sociologies réside dans l'interprétation qu'elles proposent du sens historique. Si pour Elias, le procès de civilisation est un processus continu et cumulatif quoique réversible, celui-ci est toujours menacé chez Bourdieu, par les pouvoirs de différents ordres qui tentent d'imposer leur

15. *La Noblesse d'État, op. cit.*, p. 559.

arbitraire aux différents champs spécialisés et singulièrement aux champs de production intellectuelle. D'où une histoire cyclique où les champs oscillent constamment entre l'asservissement le plus total au champ du pouvoir et l'autonomie la plus complète entre ces pouvoirs, avec toute une palette de situations intermédiaires. L'autonomie des champs spécialisés fait toujours l'objet d'une lutte dont le résultat n'est jamais gagné d'avance.

4. UNE SOCIOLOGIE RÉFLEXIVE

L'approche bourdieusienne de l'institution scolaire, et plus particulièrement de l'université, ne pouvait que déboucher sur une réflexion en retour prenant pour objet l'activité même du sociologue dans la mesure où elle s'inscrit dans des structures institutionnelles concrètes qui participent de la fonction sociale de reproduction. Il serait illusoire de croire que le sociologue, pas plus d'ailleurs que l'intellectuel, parce qu'il observe l'espace social, est lui-même dégagé de cet espace social qu'il observe. L'illusion de l'« intellectuel libre », véritable « *atopos* » réduit à être une pensée pure se posant face au spectacle du monde qu'il décrit ou analyse, est en effet le meilleur moyen d'introduire frauduleusement un inconscient social dans l'analyse. C'est là, on le verra, une « illusion scolastique », source de bien des malentendus pour la sociologie. Opérer donc un retour réflexif sur sa propre pratique, condition de toute scientificité, ne signifie pas pour Bourdieu se livrer à une introspection dans le secret des consciences, mais avant tout tirer les conclusions de l'inscription de la sociologie dans un champ institutionnel, inscription qui n'est évidemment pas sans conséquence sur les pratiques sociologiques. Plus profondément, c'est aussi s'interroger sur les opérations intellectuelles qu'effectue le sociologue à tous les niveaux de son travail et sur le décalage qu'il implique entre l'inévitable « point de vue théorique » qui en résulte et le sens pratique qu'il analyse. Cet écart, qui consiste pour l'essentiel à rendre raison de pratiques, est le résultat d'une histoire des conditions d'émergence de la raison et de l'organisation d'un corps autonome de spécialistes : c'est l'émergence de l'*homo academicus,* qui rassemble ces professeurs et chercheurs qui, quels que soient leurs désaccords, s'accordent sur l'intérêt de leurs sujets de désaccord et sur les procédures permettant de trancher entre eux. On l'aura compris, il s'agit ni plus ni moins de l'émergence d'un champ autonome, le champ académique dont la structuration propre influe sur la production de vérité (sociologique entre autres) qui est sa raison d'être. Les deux procédures permettant d'« objectiver l'objectivation » – sociologie du champ académique et interrogation sur la démarche intellectuelle qui en est le fondement – sont complémentaires l'une de l'autre. Par ailleurs, le travail d'objectivation de l'objectivation n'est pas, comme on pourrait le croire trop facilement, une stratégie du soupçon appliquée systématiquement à la vérité produite par le champ académique. Bourdieu tente au contraire de montrer que, sous certaines conditions, les stratégies d'intérêts et d'opposition qui guident l'action des agents au sein du champ académique, loin d'être incompatibles avec la production de vérité, en constituent la base et la motivation. Autrement dit, dans la mesure où le champ académique assure son autonomie par rapport au champ du pouvoir, les intérêts particuliers qui guident l'action des agents aboutissent à la production de vérité, mécanisme rappelant fort évidemment la « ruse de la raison » sur laquelle Hegel fondait sa philosophie de l'histoire. Ainsi, à condition que le champ académique soit suffisamment autonome, l'*homo academicus* peut avoir intérêt à produire de la vérité. Il est clair que Bourdieu refuse ici l'alternative entre la vision idéaliste du savant dont l'activité est tout entière portée par un amour désintéressé pour la raison, et le cynisme d'une certaine sociologie des sciences (ou plutôt de la vulgate qui en est le plus souvent diffusée) qui réduit la production de vérité et donc la vérité produite au rang d'expression, ou mieux, de moyens asservis à des fins qui lui sont étrangères (allocation de crédits, perspectives de carrière, prestige intellectuel, etc.). Aussi, c'est paradoxalement là où la réflexion de Bourdieu se fait la plus épistémologique – dans les *Méditations pascaliennes*[1], par exemple – qu'elle est aussi le plus directement politique, voire normative dans la mesure où l'interrogation sur les pratiques des sociologues conduit à des prises de position sur la fonction de la sociologie au sein de l'espace social.

HOMO ACADEMICUS : UNE SOCIOLOGIE DU CHAMP INTELLECTUEL

Homo academicus peut être à bien des égards considéré comme le prolongement naturel des travaux antérieurs sur la sociologie de l'éducation menés par Bourdieu et Passeron. Publié en 1984, cet ouvrage qui explore la structuration du champ académique constitue, de l'aveu même de son auteur[2], une gageure pour plusieurs raisons, au premier rang desquelles vient la

1. P. Bourdieu, *Méditations pascaliennes, op.cit.*
2. *Réponses, op. cit.*

difficulté de soumettre à la brutalité de l'objectivation le milieu professionnel dans lequel se situe le sociologue lui-même[3]. On le sait, pour Bourdieu, les structurations des différents champs de l'espace social sont homologues entre elles. On ne s'étonnera donc pas de retrouver dans le champ académique des structures d'opposition entre disciplines scientifiques, ou, pour reprendre l'ambiguïté terminologique utilisée par Bourdieu, entre « facultés », fort semblables à celles que connaissent d'autres champs. En analysant les correspondances entre le recrutement social des professeurs d'université et de leurs étudiants, le prestige relatif des institutions universitaires et de recherche ou encore les prises de position politique des agents, on peut construire une représentation du champ académique qui fait apparaître une polarisation entre des disciplines (et facultés) socialement dominantes mais scientifiquement dominées (comme la médecine ou le droit), et des disciplines scientifiquement dominantes et socialement dominées comme les mathématiques et la biologie. Le champ académique s'organise donc sur le principe d'un « conflit des facultés », faculté scientifique et faculté sociale, dont le résultat dépend évidemment du degré d'autonomie globale du champ, selon un mécanisme déjà appréhendé dans l'étude du champ littéraire, et valable pour tout champ spécialisé. Le conflit des facultés s'actualise concrètement dans le conflit des institutions qui en organisent l'enseignement et le développement, avec, à un pôle, les facultés de droit et de médecine, dont le prestige social est maximal, mais l'activité de recherche quasi nulle, et à l'autre pôle le CNRS, socialement dominé mais scientifiquement dominant, qui connaît depuis sa création une très forte sur-

3. P. Bourdieu, *Homo academicus,* Éditions de Minuit, Paris, 1984, chapitre 1, « Un livre à brûler ? ».

représentation des disciplines « scientifiques » par rapport à l'ensemble du champ des disciplines.

Les disciplines « littéraires », auxquelles appartient la sociologie au même titre que l'histoire et la géographie, connaissent des positions moyennes dans le champ et c'est ce qui les rend si intéressantes : l'histoire de ces disciplines et les affrontements académiques qui les traversent sont un bon révélateur des tensions qui constituent tout le champ entre deux types de capital : social et scientifique. Mais en même temps, les disciplines littéraires, peu valorisables mais socialement valorisées en dehors de l'institution scolaire qui en organise la pérennité, ont cette particularité de recruter un nombre important de ceux que Bourdieu appelle les « oblats de l'institution », agents d'origine sociale relativement modeste et qui doivent l'essentiel de leur ascension sociale à l'institution qui les a reconnus en les choisissant. Dès lors, le capital social qui en constitue partiellement la valeur, et dont la valeur se réalise pleinement en dehors de l'institution pour le droit et la médecine (par l'exercice de professions libérales), ne trouve, pour les disciplines littéraires, son sens qu'à l'intérieur même de l'institution universitaire[4]. Le conflit entre compétence sociale et compétence scientifique qui structure l'activité du professeur d'université d'une discipline littéraire, se mesure par la proportion du travail consacré à la conquête et à l'exercice du pouvoir académique (participation à diverses commissions, aux jurys d'agrégation, rédaction de manuels, direction de thèses, etc.) par rapport à celle du travail consacré à la recherche. L'importance accordée à l'une ou l'autre de ces activités varie considérablement en fonction du parcours personnel de l'uni-

4. Idéalement du moins dans la mesure où il peut être valorisé secondairement dans l'édition et le journalisme.

versitaire considéré, de l'institution à laquelle il appartient et de la position de sa discipline dans le champ. Ainsi, au cœur même des disciplines littéraires, peut-on repérer des disciplines dominantes (philosophie, lettres, histoire) et des institutions dominantes (Sorbonne, Collège de France) auxquelles s'opposent des disciplines dominées (sociologie, ethnologie, géographie) et des institutions dominées (université de Nanterre, École des hautes études en sciences sociales). L'opposition qui structure le champ, pour structurale qu'elle soit, est cependant aussi une lutte pour l'imposition d'un critère légitime de domination dans le champ. Ainsi la lutte prend la forme d'un conflit et d'une bataille théorique entre les tenants de l'orthodoxie et de la tradition d'une part, et les promoteurs de l'hérésie et de la révolution scientifique. Le débat entre Raymond Picard et Roland Barthes dans les années soixante sur la « Nouvelle Critique » illustre à merveille la lutte de légitimité (et pour la définition d'un principe de légitimité) qui structure les débats académiques entre dominants et dominés à l'intérieur du champ : éminent représentant de la vieille Sorbonne et de la critique littéraire qui l'accompagne, encore fondée sur la méthode historique, Raymond Picard s'en prend à Roland Barthes et à son *Sur Racine* dans un petit pamphlet intitulé *Nouvelle Critique, nouvelle imposture*, où il dénonce les méthodes de critique littéraire qu'emploient les modernes, rassemblés sous la houlette de Roland Barthes, notamment l'utilisation du structuralisme. C'est donc bien au nom d'une certaine orthodoxie que Raymond Picard tance ses jeunes collègues, au nom d'une tradition presque immuable, que les jeunes enragés du structuralisme sont accusés de ne pas respecter. La réponse de Roland Barthes est particulièrement intéressante en ce qu'elle ne cherche pas à se justifer au regard de l'orthodoxie rappelée avec autorité par le professeur de la Sorbonne, mais proclame hautement son hétérodoxie et la nécessité de réformer la critique littéraire : ronchonnements indignés et vénérables d'un côté, iconoclasme enthousiaste de l'autre, cette polémique fonctionne comme un révélateur des pôles qui structurent le champ, Picard et Barthes fonctionnent en couple, par reflet inversé entre les vieilles barbes et les « jeunes Turcs », structurant le champ entre héritiers et prétendants. Mais ce débat ne peut être compris si on ne le replace pas dans l'évolution historique de la distribution de pouvoir entre les facultés et notamment l'autonomisation du champ académique qui aboutit à une montée en puissance des disciplines scientifiques à l'intérieur du champ et à un déclassement plus ou moins rapide des disciplines autrefois dominantes comme les lettres. De ce point de vue, les sciences sociales, situées au point de croisement du chiasme qui structure le champ, apparaissent doublement dominées : elles ne bénéficient ni du prestige des disciplines anciennes, ni de la scientificité des disciplines scientifiques. Leur émergence sur le devant de la scène dans les années soixante, avec le structuralisme notamment, se donne donc à voir comme un double combat, à l'intérieur du champ pour acquérir au moins les signes extérieurs de la scientificité des disciplines nouvellement dominantes (d'où le recours immodéré aux modèles mathématiques dans l'explication de phénomènes sociaux), à l'extérieur du champ pour reléguer les disciplines anciennement dominantes au magasin des souvenirs. Bourdieu analyse cette période comme particulièrement dangereuse pour l'autonomie du champ scientifique : combattant sur les deux fronts, les représentants les plus modernistes des sciences sociales ont introduit dans le champ scientifique des éléments de débat qui lui sont étrangers. La collusion nouvelle avec le journalisme culturel, au moment où précisément l'université recrutait un grand nombre d'enseignants pour faire face à l'explosion de ses effectifs, surtout dans les sciences sociales, a introduit au cœur de l'institution une cohorte de « journalistes-écrivains et écrivains-journalistes, universitaires-journalistes et universitaires-journalistes[5] » dont les instances de consécration sont parfaitement étrangères à l'institution et qu'il voue aux gémonies en tant que « contrebande culturelle[6] ».

Parallèlement, le recrutement massif de cadres universitaires dans la même période a amplifié la crise de l'institution en brisant le cercle naturel de reproduction dont la politique de recrutement est évidemment une pièce maîtresse. Brisant l'homogénéité sociale de son recrutement, l'université a dû gérer la cohabitation en son sein de deux générations très différentes quant à leurs dispositions et leurs perspectives. Recrutés dans l'urgence pour encadrer les masses étudiantes, les assistants et maîtres-assistants qui n'étaient pas *a priori* destinés à enseigner dans le supérieur se sont vus offrir des perspectives d'ascension sociale pour tout dire inespérées. C'était sans compter avec les stratégies de résistance en œuvre au sein de l'institution, notamment de la part des « anciens ». Les assistants ont donc très vite compris que leurs perspectives de progression professionnelle étaient bloquées au sein de l'université, du fait même de ces résistances. Dépourvus des propriétés secondes – le titre de normalien ou d'agrégé – nécessaires pour accéder au professorat, les assistants devaient rester éternellement bloqués au rang subalterne de leur recrutement. Dans un court chapitre d'*Homo academicus*, Pierre Bourdieu propose une analyse des événements de mai 68 qui s'appuie essentiellement sur cette opposition à la fois générationnelle et

5. *Homo academicus, op. cit.*, p. 158.
6. *Ibid.*

de grade dans l'université[7]. Il fait remarquer que les assistants, dont les caractéristiques sociales étaient très proches de celles des étudiants à qui ils enseignaient, se retrouvaient souvent du même côté de la barricade contre les professeurs – les fameux « mandarins » – défenseurs d'un ordre ancien chahuté par les nouvelles conditions d'enseignement. Dès lors, la « crise » du système universitaire, dont le point culminant est les événements de Mai, ne tient pas seulement à l'augmentation des effectifs et à la pénurie de moyens d'enseignement qui s'ensuit, mais surtout à la modification de la composition sociale à la fois du public et des cadres subalternes de l'université qui provoque des désajustements durables entre aspirations subjectives et situations objectives. Ce n'est pas un hasard si le foyer de la crise s'est situé dans les disciplines nouvelles (psychologie mais surtout sociologie) dont l'incertitude quant aux débouchés professionnels ne pouvait qu'accentuer ces effets de désajustement. La crise de Mai 68 apparaît donc comme un moment de synchronisation des crises personnelles que vivent des agents placés dans des situations homologues au sein de champs différents. De ce point de vue, la floraison du discours utopiste de rupture avec la reproduction d'un ordre (et le maintien de l'ordre) peut être analysée comme l'expression politique d'un désajustement sociologique entre aspirations subjectives et possibilités objectives. La remise en cause du monopole de certification des compétences que détient l'institution universitaire en est un autre symptôme. En un mot, l'alliance conjoncturelle entre les tenants de positions dominées dans différents champs résulte essentiellement d'une disruption généralisée du mécanisme « nor-

7. *Ibid.*, « Le moment critique », pp. 207 sq.

mal » de l'enseignement qui masque en temps habituel les mécanismes de reproduction. Partie de l'institution centrale pour la mise en œuvre de ces mécanismes de reproduction, la crise s'étend rapidement à d'autres secteurs qui lui sont étrangers. On le voit, Pierre Bourdieu accorde à la fois une certaine importance aux événements de Mai, qu'il analyse comme la prise de conscience par un grand nombre d'agents de la réalité de la reproduction de la domination, et à la fois accorde peu de valeur au discours politique général et normatif qui en résulte, en l'interprétant d'un point de vue sociologique comme la simple expression d'un désajustement et de la coïncidence conjoncturelle d'intérêts entre des positions dominées dans des champs différents. Pour le sociologue, la crise n'est jamais qu'avant tout une crise de l'université, ce qui explique sa participation aux événements dans le domaine spécifique de l'éducation, et son abstention dubitative face au discours politique généralisant qui en a été le résultat le plus visible.

CRITIQUE DE LA RAISON SCOLASTIQUE

Mais le travail d'objectivation des conditions institutionnelles dans lesquelles s'effectue le travail sociologique serait incomplet s'il n'était accompagné d'une explicitation des opérations intellectuelles à l'œuvre dans ce travail. On sait que les recherches sociologiques de Bourdieu se sont très souvent accompagnées d'un effort de définition du travail sociologique. Pratique et théorie sont indissolublement liées dans son œuvre, et ceci dès les débuts, avec *Le Sens pratique* qui l'inaugure véritablement en construisant une critique de l'anthropologie structurale. Près de vingt-cinq ans plus tard, Bourdieu revient sur ce point avec les

Méditations pascaliennes. Cet ouvrage conclusif d'une œuvre scientifique qui s'est déployée dans le temps et enrichie des concepts opératoires que sont l'*habitus*, le champ ou le capital symbolique, boucle en quelque sorte la boucle de l'œuvre bourdieusienne. Les *Méditations pascaliennes* n'ont pas peu contribué à accroître la réputation de Bourdieu : reformulation des principaux thèmes abordés dans *Le Sens pratique*, mais aussi *La Distinction, La Reproduction, La Noblesse d'État*, l'ouvrage organise une confrontation avec la philosophie. La confrontation est inévitable dans la mesure où, comme le remarque Bourdieu dans *Homo academicus*, sociologie et philosophie sont en concurrence dans le champ académique comme « disciplines reines », disciplines des disciplines prétendant toutes les deux à dominer et englober à la fois les connaissances acquises par les autres disciplines et ce, de manière très différente pour chacune d'elles : la philosophie prétend au statut de discipline fondatrice parce qu'elle fournit aux autres disciplines un savoir sur les conditions de validité de leurs pratiques et des connaissances qui en résultent ; c'est l'épistémologie. La problématique du « fondement » est typique du point de vue philosophique sur les autres sciences. *A contrario*, la sociologie prétend jeter les bases au moins d'une théorie de la société et dévoiler les conditions sociologiques de production de la connaissance scientifique.

Au-delà de ce débat qui a beaucoup retenu l'attention des commentateurs, les *Méditations pascaliennes* s'organisent comme une critique à la fois sociologique et épistémologique de ce que Bourdieu appelle la « raison scolastique » qui est au cœur de la production philosophique. Celle-ci, particulièrement évidente dans la pratique philosophique, consiste pour l'essentiel à prendre un point de vue théorique sur le monde, à produire des connaissances « pures », détachées de toute visée pratique. Il est particulièrement difficile d'objectiver le point de vue scolastique tant il semble évident, naturel à ceux qui l'adoptent, et singulièrement à l'*homo academicus*. On sait que *Le Sens pratique* avait en grande partie pour objectif de mettre en lumière les insuffisances de ce point de vue dans l'approche anthropologique des faits sociaux dans la mesure où la logique propre de l'anthropologue – *homo academicus* parmi d'autres – est étrangère à la logique pratique des faits sociaux qu'il prend pour objet. S'attaquant essentiellement à l'anthropologie structurale, qui a tendance à devenir un modèle dominant des sciences sociales au moment où Bourdieu écrit ce livre, le sociologue formule en fait une critique beaucoup plus large qui touche l'ensemble des sciences sociales en ce qu'elles manifestent les mêmes insuffisances. Il suffit d'ailleurs d'examiner l'histoire de ces disciplines, leurs conditions d'apparition et de développement, surtout en France, pour comprendre la prédominance en leur sein de la raison scolastique : issues directement de la philosophie, dont elles sont à leurs débuts un simple sous-produit, les sciences sociales sont restées longtemps dominées par celle-ci, d'où viennent d'ailleurs la plupart de leurs grandes figures (Durkheim, Lévi-Strauss et Bourdieu lui-même). La reprise dans les *Méditations pascaliennes* de la critique de la raison scolastique porte donc essentiellement sur sa présence et sa mise en œuvre dans les sciences sociales. Sont visées principalement les théories de l'acteur rationnel qui, pour le sociologue, manifestent un « épistémocentrisme scolastique[8] » qui projette sur l'agent une disposition présente chez l'analyste. La modélisation de l'action individuelle comme répondant au calcul de rationalité

8. *Méditations pascaliennes, op. cit.*, p . 67.

qu'effectue le sociologue – ou plus souvent l'économiste – repose sur l'illusion que la disposition scolastique de mise à distance du monde et de ses urgences est universellement répandue. Autre forme d'illusion scolastique, la théorie de l'agir communicationnel développée par Habermas repose en dernière instance sur une réduction des rapports sociaux à des rapports politiques. Centrée sur la notion kantienne d'« espace public », la théorie habermassienne ignore tout des discriminations à l'œuvre dans la mise en place des conditions d'accès à cet espace. Elle ignore surtout la question de la violence symbolique dans la communication politique qui a pour effet d'extorquer le consentement libre des dominés à leur propre domination. La critique bourdieusienne de la raison scolastique pointe enfin une troisième forme d'illusion, déjà analysée dans *La Distinction,* et qui a pour principe la mise en œuvre d'une « esthétique pure », proche de l'esthétique kantienne.

Dans tous les cas, l'illusion scolastique procède d'un double mouvement de théorisation de la connaissance et de déshistoricisation des relations sociales et des pratiques cognitives, au premier rang desquelles elle figure. Car pour Bourdieu, une critique de la raison scolastique ne peut s'effectuer pleinement qu'en faisant un détour par l'histoire : face à une prétention à l'universel de la raison (ou plutôt de cette raison particulière), il convient de mettre au jour les conditions historiques d'émergence de la raison théorique, seule manière d'éviter l'illusion proprement magique d'une raison immédiatement universelle et tombée du ciel. C'est éviter aussi de pratiquer inconsciemment un fétichisme de la raison théorique qui se donne à voir comme la violence symbolique d'une raison imposée comme seule légitime par oubli de l'arbitraire dont résulte son origine historique.

Mais rappeler les conditions historiques de production de la raison théorique, ce n'est pas, comme on voudrait le faire croire trop souvent, affirmer qu'elle est réductible à l'histoire, irrémédiablement coupée de toute possibilité d'accès à l'universel, parce que réduite à la singularité d'une époque. La sociologie de la connaissance et des sciences ne peut se résumer pour Bourdieu à une relativisation tous azimuts de la raison scientifique qui aboutirait à lui dénier toute relation avec l'universel. De la même façon, examiner en détail les relations historiques de pouvoir à l'intérieur de champs spécifiques, qui sont au fondement de son développement, ne revient pas à réduire les connaissances et la recherche de connaissances à l'expression mystificatrice d'une volonté de puissance. Refusant de devoir choisir entre une conception irénique et une vision cynique de la raison, Bourdieu a la « conviction[9] » que l'histoire de la raison théorique peut être une histoire de la manière dont la raison peut s'arracher aux conditions historiques particulières de sa production. Appliquée à l'histoire de la formation et du développement des champs scientifiques, cette proposition revient à analyser comment la *libido dominandi* (volonté de dominer) au sein du champ se transforme, sous l'effet des contraintes qu'imposent les lois du champ, en *libido sciendi* (volonté de savoir, de connaissances) imposée à tous les agents du champ. On l'aura vite compris, l'autonomie du champ scientifique par rapport au champ du pouvoir est une des conditions majeures de cette transformation. En augmentant la valeur du droit d'entrée dans le champ, en interdisant le recours à des armes extérieures au champ pour y

9. Le terme est de lui, manifestation s'il en était besoin que cette proposition tient plus chez lui du postulat, voire du discours normatif.

triompher, en un mot, en imposant des règles spécifiques aux agents du champ pour obtenir les succès qu'ils visent, le champ scientifique peut produire de la vérité pour autant que les agents aient intérêt à la production de cette vérité. Dans ce processus, la sociologie de la connaissance joue un rôle tout à fait spécifique d'objectivation des règles du champ et des conditions historiques de production de vérité, ce qui est la condition première d'une libération à l'égard de la singularité de ces conditions historiques. Il existe donc pour Bourdieu une stratégie possible d'universalisation qui passe en un premier lieu par l'affrontement des intérêts particuliers entre eux à l'intérieur des champs. C'est la structure propre au champ qui permet à l'intérêt particulier de devenir un intérêt particulier à l'universel et donc de « faire avancer l'universel ».

Élargissant sa perspective de départ, Pierre Bourdieu montre que la construction de l'État est la forme par excellence de l'universalisation résultant du conflit des intérêts particuliers. Si l'État en effet représente la monopolisation par quelques-uns de la domination, il impose en retour à ceux dont il sert l'exercice de la domination et sa reproduction d'exercer leur domination sous une forme particulière qui est précisément celle de l'universel. Par un processus dialectique qui ne nous est pas totalement inconnu, l'universel, instrumentalisé par les dominants au sein de l'État pour accroître et légitimer leur domination, instrumentalise en retour les dominants par le biais de leurs intérêts particuliers pour inscrire la domination dans une forme qui lui est spécifique. On a là, exprimée de manière théorique, toute la matrice du positionnement politique de Bourdieu par rapport à l'État, position qui apparaît à beaucoup comme particulièrement ambiguë : s'il analyse l'État comme un instrument particulièrement efficace d'exercice et de reproduction de la domination, il l'analyse aussi, sans que cela soit contradictoire, comme un progrès de l'universel par rapport aux formes les plus primitives de domination (la domination personnelle des société féodales par exemple) dans la mesure où la domination, sous l'effet du processus historique de formation de l'État et d'autonomisation des champs (scientifiques et scolaires par exemple) qui en découle, est elle-même transformée, parce que devant recourir à d'autres instances de légitimation autonomes. Ni idéaliste ni désabusé, Bourdieu en appelle donc à la mise en œuvre d'une « Realpolitik de la raison[10] » qui ne peut que s'appuyer sur une connaissance des conditions historiques de possibilité de son émergence et de sa concrétisation. C'est bien sûr à la sociologie qu'il revient de produire cette connaissance.

La sociologie a cette particularité qu'une réflexion épistémologique sur ses pratiques est inséparable d'une réflexion politique sur ses effets et sa fonction. Inscrite au cœur de l'institution académique, et donc de l'institution de reproduction, elle dévoile la réalité des mécanismes de reproduction qui y sont à l'œuvre ainsi que les processus d'imposition d'une violence symbolique par laquelle le consentement à leur propre domination est extorqué aux dominés. Véritable « cheval de Troie » placé au cœur de l'institution académique, la sociologie « vend la mèche » en dévoilant la réalité des mécanismes de domination, ce qui est une manière de les affaiblir dans la mesure où la domination ne peut pleinement s'exercer qu'en se dissimulant par une négation de sa propre réalité. Véritable « négation d'une dénégation[11] », le discours sociologique est condamné à susciter des résistances de toutes parts, y compris de la part des dominés qui perçoivent le monde

10. *Méditations pascaliennes, op. cit,* p. 150.
11. *Ibid.* p. 274.

social et se perçoivent suivant les schèmes perceptifs des dominants et donc tendent à intérioriser la domination. Si Bourdieu, au début de son travail, reste relativement sceptique sur les possibilités de transformation sociale engendrées par la sociologie, sa position va évoluer tout au long de sa carrière. Partant d'un désenchantement relativement pessimiste qui n'attribue qu'un pouvoir politique fort limité à la sociologie, les diverses interventions rassemblées dans *Questions de sociologie*, puis *Choses dites*, puis *Raisons pratiques*, sans même parler de l'appel à un « corporatisme de l'universel » placé à la fin des *Règles de l'art*, montrent que le sociologue croit de plus en plus à l'efficacité politique du discours sociologique, sans doute au fur et à mesure que s'améliore sa propre situation institutionnelle. Persuadé au départ que la sociologie ne peut que se cantonner à réduire la souffrance des dominés en leur donnant les instruments de compréhension de la domination, Bourdieu s'engage peu à peu dans une voie qui attribue une efficacité plus grande au discours sociologique pour ce qui est de son intervention dans l'espace social. La théorie des champs notamment, en mettant au jour la possibilité d'un allongement de ce que Bourdieu appelle « les cycles de légitimation » par une autonomisation plus grande de ces champs, permet au discours sociologique d'énoncer les conditions de possibilité d'une domination moins tyrannique. En objectivant les valeurs et procédures propres au champ, le sociologue met à disposition des agents qui y interviennent des instruments leur permettant de refuser le recours à des forces extérieures au champ pour arbitrer les conflits à l'intérieur de celui-ci. Le discours sociologique bourdieusien apparaît dès lors comme un discours de légitimation de l'autonomie conquise par les champs par rapport au champ du pouvoir.

Plus profondément, et cela apparaît avec netteté dans

La Domination masculine, l'objectivation des *habitus* par le sociologue peut fournir aux dominés les moyens de comprendre et donc d'agir sur l'instrument majeur de leur domination. En effet, toute la sociologie de l'*habitus* montre que la simple prise de conscience de la domination n'est pas suffisante tant qu'elle ne reste précisément qu'une conscience. Celle-ci ne peut lutter à armes égales avec l'*habitus* inscrit dans les corps qui détermine des réactions incontrôlables dans certaines situations et comme ensemble de schèmes perceptifs informant une vision de soi et du monde social. La sociologie, en ce qu'elle n'est pas seulement un discours général sur une domination générale mais un discours descriptif des conditions d'effectuation et de reproduction de la domination, permet à ceux qui veulent l'affaiblir de connaître en détail les points sur lesquels ils peuvent et doivent agir. Dans le cas du féminisme, mais aussi de la question homosexuelle que Bourdieu aborde brièvement à la fin de son ouvrage sur la domination masculine, le sociologue rappelle que toute action efficace dans ce domaine se doit d'opérer une manipulation symbolique, y compris sur les éléments les plus triviaux de la domination, et ne pas se contenter de produire un discours général de dénonciation. On voit donc l'évolution d'une position qui ne se contente plus de proposer aux dominés des éléments de compréhension de leur domination sans espoir aucun d'évolution, vers la conception de la sociologie comme armurerie symbolique où les dominés peuvent venir puiser les ressources symboliques dont ils ont besoin pour mettre en question et renverser la *doxa* qui verrouille la domination dont ils sont victimes.

Peu à peu, émerge la conception chez Bourdieu du sociologue comme intellectuel (position bien représentée dans le texte intitulé « Pour un corporatisme de l'universel »). Il est un manipulateur de symboles, comme d'autres : cette position particulière lui donne un pouvoir particulier qu'il peut mettre au service de la reproduction de la domination, en se mettant au service des dominants ou, au contraire, d'une élucidation des mécanismes de domination qui en est déjà une forme de remise en cause. On voit que, présentée ainsi, l'alternative n'offre au sociologue qu'une seule possibilité pour concilier positionnement politique et indépendance scientifique. C'est là tout le sens de la citation proposée en début de chapitre : si la sociologie a dû renoncer à sa charge politique pour se faire accepter comme science académique, elle n'en reste pas moins chargée politiquement : mais la charge politique de la sociologie ne s'énonce pas comme telle. C'est en construisant un travail scientifique et, précisément, en ne faisant que cela, que le sociologue a le plus de chance de donner une efficacité politique à son travail. De ce point de vue, la sociologie, ancrée au cœur de l'institution académique, fonctionne de manière parfaitement homologue, mais inversée par rapport à cette institution : *La Reproduction* avait bien montré comment l'institution universitaire accomplissait sa fonction sociale de reproduction de la domination d'autant mieux qu'elle paraissait – et qu'elle était en fait – plus indépendante dans l'espace social. Pour Bourdieu, la sociologie affaiblira ces mécanismes de domination d'autant mieux qu'elle sera plus indépendante à l'égard des projets et slogans politiques. En ne faisant que son travail de compréhension et d'explicitation des mécanismes présents au cœur des phénomènes sociaux, le sociologue donne des armes à ceux qui veulent agir sur ces mécanismes, à ceux qui veulent les voir évoluer, contre ceux qui, s'appuyant sur la puissance immense de la *doxa*, maintiennent un statu quo qui leur est favorable.

C'est du moins la position cohérente qui ressort des

nombreux passages de l'œuvre de Bourdieu où il traite de ces questions. Et la position est en effet fort cohérente avec la réalité d'une œuvre sociologique, qui se contentant de montrer la domination, c'est-à-dire à la fois de l'objectiver et d'en expliquer le fonctionnement, est porteuse d'une puissance contestatrice qu'elle n'aurait pas si elle s'énonçait comme telle. À partir des années quatre-vingt-dix essentiellement, face aux menaces de liquidation de l'État par la vague néolibérale qui envahit rapidement de larges pans de la société, Pierre Bourdieu en décide autrement. Son intervention directe dans le débat public, en même temps que le recours de plus en plus fréquent à un discours normatif ou immédiatement dénonciateur chez lui, opère un décrochage évident par rapport à la position précédemment énoncée. À y regarder de plus près, on ne peut qu'être étonné du parcours à contre-sens effectué par le sociologue : s'en tenant à une distance hautaine à l'égard de la politisation accentuée de ses collègues dans les années soixante et soixante-dix, Bourdieu se met presque brutalement à intervenir directement dans le débat public à une époque où les sciences sociales se replient en masse dans la tour d'ivoire de leurs laboratoires. Cette évolution très nette donne lieu à la publication de nombreuses tribunes, mais aussi d'ouvrages qui marquent une rupture par rapport à la production des années précédentes : *La Misère du monde, Les Structures sociales de* l'*économie, De la télévision*, mais aussi *La Domination masculine* jusqu'à un certain point et certains passages des *Méditations pascaliennes*, sans compter les collections d'interventions publiques comme *Contre-feux* et *Raisons pratiques*, se détachent dans la production bourdieusienne par l'apparition d'un discours dénonciateur et normatif qui ne permet pas de les considérer au même titre que les autres ouvrages. Publications de circonstance, dont la production est déterminée par un agenda politique, ils apportent une contribution à un débat public et politique dont les enjeux ne concernent plus directement le champ sociologique. C'est pourquoi, ils ne seront évoqués que dans ce contexte. Apportant peu par rapport au socle théorique sur lequel s'édifie la sociologie bourdieusienne, ils ne prennent le plus souvent sens que dans le feu de l'action où Bourdieu a décidé de s'engager, en contradiction avec les conséquences logiques de la sociologie réflexive qu'il a su élaborer par ailleurs.

CONCLUSION : LA TENTATION PHILOSOPHIQUE

Pierre Bourdieu a élaboré ses concepts et propositions théoriques par la mise en œuvre de la confrontation la plus féconde qui soit en matière de recherche scientifique, celle qui consiste à opérer des allers-retours constants entre théorie et pratique, entre les faits et le système logique qui en rend compte. Ce faisant, la sociologie bourdieusienne peut s'appréhender comme un dialogue avec les deux systèmes théoriques dominants de son époque, l'anthropologie structurale et la phénoménologie. On peut pointer aussi les échanges opérés par Bourdieu avec les traditions marxistes et wébériennes en sociologie, ou encore les emprunts aux théories wittgensteniennes et austiniennes du langage. Et de fait, l'exégèse bourdieusienne, surtout aux États-Unis, tend de plus en plus à intégrer le sociologue dans le champ philosophique. Les *Méditations pascaliennes*, ne serait-ce que par leur titre, donnent prise évidemment à cette lecture contre laquelle, pourtant, Bourdieu met en garde à de nombreuses reprises. La lecture philosophique – voire scolastique quand il s'agit précisément de détecter les influences théoriques – du travail bourdieusien est, faut-il le rappeler, une lecture particulière qui donne un autre sens aux textes commentés. Pour paraphraser Bourdieu, on pourrait dire que la lecture philosophique s'épargne de remonter de l'*opus operatum* au *modus operandi* en ignorant délibérément les procédures d'enquête, les difficultés d'interprétation, en un mot la « cuisine sociologique » qui en est à la source. Sans juger *a priori* de la légitimité d'une telle lecture – au nom de quoi serait-elle moins légitime que la lecture politique ou que la lecture sociologique c'est-à-dire académique des mêmes textes ? – il importe cependant de prendre en considération les transformations, pour ne pas dire plus, qu'elle fait subir à l'œuvre bourdieusienne. Plus profondément, la généralisation très perceptible des lectures politiques et philosophiques de la sociologie de Bourdieu, partiellement encouragée par l'auteur lui-même, invite à s'interroger sur le statut d'une discipline qui peine à affirmer son autonomie dans le champ intellectuel. Il est fort possible que la sociologie, dans l'état actuel de son développement, ne puisse être reconnue que pour autant qu'elle alimente des débats et des pratiques qui lui sont étrangères. Par ironie du sort, c'est précisément le devenir de l'œuvre bourdieusienne qui met en lumière le caractère utopique, dans l'état actuel des choses, du projet bourdieusien d'une science autonome qui remplirait une fonction sociale reconnue par son seul fonctionnement autonome.

II

DÉBATS ET CONTROVERSES

[illegible]

[illegible] REGARDS CRITIQUES [illegible]

Pierre Bourdieu est [illegible] sociologue français le plus [illegible] la [illegible] en France [illegible] [illegible] [illegible] [illegible] pour [illegible] [illegible] expliquer [illegible] [illegible] [illegible] [illegible] [illegible] [illegible] [illegible]

[illegible]

[illegible]

5. REGARDS CRITIQUES

Pierre Bourdieu est souvent présenté comme le sociologue français le plus connu et le plus influent, à la fois en France et à l'étranger. Ce postulat, qui demanderait à être nuancé au moins pour sa seconde proposition, explique que sa théorie ait fait l'objet de commentaires nombreux, des plus critiques aux plus enthousiastes. Reste que dans l'état actuel de la discipline, la sociologie bourdieusienne a surtout fait l'objet de lectures partielles, dans les différents domaines qu'elle a pu aborder : sociologie de la littérature et de l'art, sociologie de l'éducation, sociologie de la culture. Que ce soit de la part de ses disciples qui ont pour la plupart entrepris d'appliquer systématiquement les concepts bourdieusiens aux différents domaines de la vie sociale, ou de ses critiques qui contestent l'interprétation qui a pu être faite du fonctionnement de tel ou tel champ[1]. Plus profondément, certaines critiques

1. Celles-ci, conduisant à des discussions techniques sur des sujets de recherche relativement « pointus », ne peuvent faire l'objet d'une recension ici. C'est pourquoi on s'en tient dans ce chapitre aux remises en cause les plus fondamentales des concepts centraux

sur un point précis en recouvrent d'autres sur des points plus fondamentaux et plus centraux de la théorie du sociologue. C'est le paradoxe de la réception de l'œuvre bourdieusienne : elle donne lieu ou bien à des oppositions globales qui en tendance à tourner à l'affrontement idéologique, ou bien à des contestations ponctuelles qui n'en remettent pas en cause la cohérence fondamentale. Cette alternative entre deux extrêmes tient pour une part aux caractéristiques propres de cette œuvre, pour une autre à la manière dont Bourdieu la présente et la défend, insistant de manière quasi obsessionnelle sur sa cohérence interne et interdisant d'en utiliser des éléments indépendants dans une autre perspective. C'est pourtant ce que font certains sociologues contemporains, montrant par là, s'il en était besoin, la richesse d'une théorie qui peut fournir des instruments utiles à d'autres approches que la sienne.

INDIVIDU ET CLASSES SOCIALES : UN COUPLE ÉPISTÉMOLOGIQUE

Ce sont les travaux de Bourdieu et Passeron sur l'éducation qui ont donné lieu, comme on s'en doute, aux oppositions les plus franches non seulement hors du champ académique, mais aussi à l'intérieur, de la part notamment de Raymond Boudon et François Bourricaud, tenants de l'« individualisme méthodologique ». Si les deux théories concurrentes prennent le terrain de

de la sociologie bourdieusienne. De même, on n'évoquera pas l'application systématique du « système Bourdieu » à tous les domaines de la vie sociale, recension qui est pratiquement devenue la raison d'être des *Actes de la recherche en sciences sociales*. Pour un « *mapping* » journalistique de la coterie bourdieusienne, on pourra se référer aux différentes revues de vulgarisation des sciences humaines qui ont consacré un dossier au sociologue.

la sociologie de l'éducation comme champ d'affrontement, cette opposition sur un sujet pointu est sous-tendu par une divergence radicale de perspective sociologique. Bourdieu et Boudon sont d'accord, avec toute la sociologie de l'éducation d'ailleurs, sur un constat de base : l'inégalité d'accès des classes sociales à l'enseignement. L'un comme l'autre s'appuient sur les statistiques de recrutement social à différents niveaux du cursus scolaire et universitaire pour simplement constater que plus on s'élève dans le cursus, plus les individus issus des catégories sociales élevées sont surreprésentés par rapport aux catégories sociales inférieures. D'où on déduit facilement une inégalité des chances des élèves dans l'institution scolaire en fonction de la catégorie sociale à laquelle ils appartiennent.

C'est sur l'explication de l'inégalité des chances que les deux sociologues divergent radicalement. Si, pour Bourdieu et Passeron, celle-ci résulte d'une inégalité dans la maîtrise d'un savoir-faire culturel hérité que l'école utilise principalement comme critère d'évaluation et de classement, pour Raymond Boudon au contraire, l'inégalité des chances ne peut s'expliquer pleinement que par des choix successifs opérés par les élèves et leur famille tout au long de leurs études. Autrement dit, l'inégalité d'accès à l'enseignement est principalement le résultat de stratégies d'investissement dans les études différentes selon les milieux sociaux. On considère donc l'élève comme un acteur opérant des choix (abandonner ou non ses études, s'engager dans telle filière plutôt que telle autre) tout au long de son cursus. C'est sur la nature des choix opérés que se distinguent les catégories sociales. Ainsi, l'approche que propose Raymond Boudon[2] repose, pour l'essen-

2. R. Boudon, *L'Inégalité des chances,* A. Colin, Paris, 1973.

tiel, sur l'estimation que les individus font de la rentabilité probable de l'investissement scolaire. Son hypothèse est que les individus issus de classes inférieures ont tendance à sous-estimer le rendement et à surestimer le coût de l'investissement scolaire par rapport aux individus des classes supérieures. Boudon ne nie pas une certaine validité aux propositions formulées par Bourdieu et Passeron. Mais il prétend que celles-ci ne peuvent expliquer toutes les particularités de la corrélation entre classes sociales et niveau scolaire. Ainsi par exemple, elles n'expliquent pas pourquoi, à réussite scolaire égale, la corrélation entre origine sociale et orientation effective continue d'être observée[3]. Plus précisément, les variations de cette corrélation statistique nous montrent que lorsque la réussite scolaire est bonne, l'origine sociale influe peu sur les orientations (un grand nombre de fils d'ouvriers continuent leurs études), mais plus celle-ci est mauvaise, plus l'origine sociale joue un rôle important dans l'orientation effective (les enfants des classes sociales élevées continuent quand même leurs études, contrairement aux enfants d'ouvriers). On le voit, l'opposition entre les deux théories sur la question précise de l'inégalité des chances n'est pas si absolue qu'on pourrait le croire : Boudon accepte jusqu'à un certain point la validité des théories de Bourdieu et Passeron, mais en les intégrant dans une théorie explicative qui repose en dernière instance sur les choix individuels qui se concrétisent par l'investissement scolaire. À l'opposé, Bourdieu n'écarte pas totalement la notion de choix individuel mais c'est pour l'intégrer dans des stratégies dont l'*habitus* forme les limites : il s'agit de l'évaluation subjective des chances objectives d'atteindre telle position sociale. Par ailleurs,

3. R. Boudon, *La Logique du social,* Hachette, Paris, 1979.

il n'accorde à ce facteur d'inégalité qu'une importance secondaire par rapport au travail de hiérarchisation qu'opère l'institution scolaire sur la base de l'évaluation de compétences socialement reconnues et, pour l'essentiel, héritées.

Mais le débat n'en reste pas là et ce qui pouvait constituer un point de désaccord limité, discutable et arbitrable par des procédures d'évaluation scientifique, est vite devenu une opposition tranchée entre deux systèmes clos, totalement irréconciliables. En effet, la particularité du travail de Raymond Boudon est qu'il repose peu sur l'analyse de phénomènes sociaux précis et limités (hormis la sociologie de l'éducation), mais se développe essentiellement dans le domaine de la théorie sociologique, dans la continuité de Raymond Aron. Le sociologue s'est fait le porte-parole de l'« individualisme méthodologique », théorie sociologique globale qui prétend se situer en contrepoint de la filiation durkheimienne en sociologie. L'individualisme méthodologique se propose en effet de partir non des structures ou des groupes pour étudier les phénomènes sociaux, mais de l'individu et des actions qu'il peut accomplir en tant qu'individu pour en étudier les conséquences sociales. Pour Boudon, les actions collectives, ou plutôt les phénomènes sociaux qui peuvent apparaître comme collectifs (comme les paniques financières, par exemple), ne sont jamais que le résultat d'effets d'agrégation d'une multitude d'actions individuelles qu'il convient d'étudier en tant que telles. Tout le travail de la sociologie pour Boudon consiste donc à montrer comment des comportements individuels rationnels – c'est-à-dire exprimant des choix « rationnels[4] » –

4. On ne peut détailler ici ce qu'implique, chez Boudon, l'utilisation de ce terme, fondement de la distinction (mais aussi du rapprochement) entre *homo œconomicus* et *homo sociologicus.*

aboutissent, par effets d'agrégation, à provoquer des résultats collectifs non voulus. Le sociologue a souvent tendance à présenter l'individualisme méthodologique en opposition à la tradition sociologique concurrente et dominante qui adopte directement une logique collective. C'est ainsi qu'on voit poindre dans ses œuvres une opposition de plus en plus forte entre sociologie individualiste et sociologies « holistes » dont Bourdieu représenterait le point ultime. Cette présentation théorique s'accompagne d'une critique relativement virulente contre les théories qui chercheraient à établir des « lois » de fonctionnement ou de développement des sociétés[5]. De là, on dérive enfin aisément vers une attitude plus polémique envers ce que Boudon dénonce comme du « sociologisme », c'est-à-dire « l'idée que les structures sociales ont un pouvoir de détermination assez fort sur l'individu pour que celui-ci puisse être considéré comme le simple jouet de ces structures[6] ». C'est évidemment Bourdieu qui est ici visé, parmi d'autres d'ailleurs. Boudon déplore l'influence qu'il a pu avoir sur la sociologie française à partir des années soixante. On voit donc que de glissement en glissement, ce qui peut apparaître en droit comme deux approches pas nécessairement antinomiques de la réalité sociale devient, en fait, deux théories reflets inversées l'une de l'autre pour former un couple épistémologique parfait. On pourrait presque construire un champ des théories sociologiques à partir de la polarisation obtenue, faisant correspondre un espace des prises de position politiques à l'espace des positions sociologiques, comme en témoigne *L'Idéologie ou*

5. R. Boudon, *La Place du désordre ; critique des théories du changement social,* PUF, Paris, 1984.
6. *La Logique du social, op. cit.*, préface.

l'origine des idées reçues[7] qui, par moments, n'hésite pas à voir dans l'opposition entre sociologie individualiste et sociologie holiste des correspondances avec l'affrontement politique entre libéralisme et néo-marxisme[8].

Bourdieu a contesté à de nombreuses reprises cette présentation des conflits théoriques, en refusant en quelque sorte d'entrer dans le jeu du couple liberté/déterminisme. On l'a suffisamment vu pour qu'il ne soit pas la peine d'y revenir, le sociologue refuse de considérer que sa théorie consisterait à affirmer que le comportement individuel est déterminé entièrement par les structures sociales. En combinant les notions d'*habitus* et de stratégie, il prétend échapper à l'opposition fatale qui structure le couple épistémologique. Il se situe donc en position de porte-à-faux dans ce débat en refusant d'endosser le rôle que Boudon et d'autres critiques lui attribuent. Au contraire, la construction théorique qu'il propose tend à articuler équitablement action individuelle et contraintes structurales de l'action. Attaquant Boudon sur son propre terrain, Bourdieu montre qu'une sociologie de l'action qui prend pour objet d'analyse un individu vide, sans qualité et interchangeable, pur moteur de choix servant à construire des modèles mathématiques proches de ceux que propose la théorie des jeux, est largement insuffisante comme principe d'explication sociologique. C'est pourquoi le débat entre les deux sociologues apparaît bancal à bien des égards. Engagé de manière frontale par l'un qui se définit et définit sa méthode par oppo-

7. R. Boudon, *L'Idéologie ou l'origine des idées reçues,* Fayard, Paris, 1986.

8. Cf. aussi le *Dictionnaire critique de sociologie,* PUF, Paris, 1982, qui qualifie la théorie bourdieusienne de la domination d'« idéologique ».

sition, il suscite chez l'autre des réactions de dénégation qui peuvent prendre la forme de piques portées au hasard des notes de bas de page.

Des lectures plus récentes et plus mesurées peut-être sur ce débat permettent cependant de mettre au jour les ambiguïtés de la théorie bourdieusienne qui ne parvient pas toujours à s'extraire de l'opposition individu/collectif[9]. De ce point de vue, la notion d'*habitus*, si elle représente un outil efficace pour appréhender le point de jonction entre les deux ordres de détermination de l'action, n'en reste pas moins difficile à saisir. Que la théorie bourdieusienne ait été interprétée si souvent comme « holiste » ou « déterministe », aussi bien par ses détracteurs que par certains de ses thuriféraires, n'est pas totalement fortuit. C'est peut-être le signe d'un décalage entre une définition théorique pure, dans *Le Sens pratique* par exemple, qui définit clairement l'*habitus* au-delà du couple épistémologique, et une application dans les études « régionales » – on songe à *La Reproduction* et à *La Distinction* notamment –, qui évolue tendanciellement vers une détermination de l'action par les structures sociales. Si l'on envisage le problème d'une autre manière, dans la construction des champs par exemple, on constate que Bourdieu prend bien soin de montrer que l'espace des positions et l'espace des prises de position se superposent dans le champ ou concordent, mais ne se déterminent jamais l'un par l'autre. Il reste que cet effet de superposition est un peu mystérieux tant qu'on n'y voit pas une détermination des prises de position par les positions (et donc par les structures sociales). Finalement, la théorie bourdieusienne de l'action et sa position sur le couple

9. Philippe Corcuff, « Le collectif au défi du singulier : en partant de l'*habitus* » *in* Bernard Lahire (sous la dir.), *Le travail sociologique de Pierre Bourdieu,* La Découverte, Paris, 2000.

liberté de l'individu/détermination par les structures sociales ne peuvent être comprises que de manière relationnelle à d'autres théories sociologiques. Les incompréhensions mutuelles qui biaisent le débat sociologique sont en partie dues à des différences de point de vue déterminées par la position des sociologues dans ce débat : il est clair que du point de vue de l'individualisme méthodologique, la théorie bourdieusienne est massivement déterministe et se distingue peu du structuralisme dont elle est issue. Du point de vue structuraliste qui est celui de Bourdieu lorsqu'il édifie sa théorie, la notion d'*habitus* permet de réintroduire au cœur des effets de structure une autonomie individuelle dans la détermination de l'action parce qu'elle ouvre la possibilité d'une approche historique (ou « génétique ») de la structure. Les notions de champ, de lutte et de stratégies, en sont le développement théorique normal. Au total, l'opposition conceptuelle dont Bourdieu tente de sortir la sociologie apparaît comme une véritable antinomie de la raison sociologique, pratiquement consubstantielle à la discipline et aux débats qui l'animent. Nombre de théories sociologiques contemporaines tentent de dépasser cette opposition que beaucoup considèrent aujourd'hui comme stérile. Les difficultés de la théorie bourdieusienne éclairent d'un jour nouveau la prégnance de l'opposition non seulement dans les formulations théoriques, mais aussi dans les méthodes et principes explicatifs sur lesquels repose la sociologie.

BOURDIEU EST-IL MARXISTE ?

Historien et théoricien de la sociologie avant d'être sociologue, Jeffrey Alexander propose une critique plus large de la sociologie bourdieusienne, quoique s'appuyant au départ sur les mêmes éléments[10]. Jeffrey Alexander a consacré toute une partie de son travail à opérer une relecture critique des principales théories sociologiques, les jugeant à l'aune de l'opposition entre le « problème de l'action » et le « problème de l'ordre ». Il tente de montrer que le défi de la sociologie consiste précisément à ne pas rabattre un ordre sur un autre, et donc à ne pas opérer une « réduction » qui laisserait échapper une partie de la réalité sociologique. Passant en revue les théories de Durkheim, Marx, Weber et Parsons, il arrive à la conclusion que seul le fonctionnalisme parsonsien, à condition d'être revisité, notamment à la lumière des apports de la micro-sociologie interactionniste (voir encadré), permet d'éviter la réduction à laquelle n'échappent pas les autres théories, et d'édifier une théorie sociologique synthétique et multidimensionnelle.

Interactionnisme

On appelle habituellement « théories interactionnistes » les approches sociologiques des interactions sociales analysées dans les relations de face-à-face. Les travaux d'Ervin Goffman sont considérés comme les plus représentatifs de ces théories. Choisissant délibérément d'adopter une approche micro-sociologique, Ervin Goffman s'applique à décrire et théoriser tout ce qui se passe dans ce type de relation. Dans *Les Rites d'interaction*, il montre comment les événements les plus banals de la vie sociale au quotidien, comme la conversation, recèlent la mise en œuvre d'une ritualisation permettant à la communication de s'établir et

10. J. Alexander, *Fin de siècle Social Theory : Relativism, Reduction and the Problem of Reason*, New York, Verso, 1995 La dernière partie de l'ouvrage, qui traite spécifiquement de la sociologie bourdieusienne, a fait l'objet d'une publication séparée et résumée : *La Réduction. Critique de Bourdieu,* Paris, Cerf, 2000.

l'échange de signes imperceptibles entre les acteurs corrigeant continuellement les écarts possibles avec le modèle de communication établi à l'origine de la situation d'interaction. Les signes échangés, signes corporels ou verbaux, lors de l'interaction ont pour objectif d'indiquer les intentions des acteurs dans la situation où ils se trouvent. Goffman a aussi travaillé sur l'occupation symbolique de l'espace et l'appropriation de l'espace public par les individus.

Par choix méthodologique, la sociologie interactionniste ne prend pas en compte les déterminations sociales des acteurs, ce qui ne veut pas dire qu'elle les ignore ou les nie. Son objet est plutôt de construire un modèle de l'interaction qui fasse ressortir les caractéristiques propres à la situation de communication. Ervin Goffman et Pierre Bourdieu ont entretenu des liens académiques épisodiques mais importants. Bien que leurs pratiques sociologiques soient très différentes l'une de l'autre, la théorie du sociologue français s'est considérablement enrichie au contact de Goffman, notamment en ce qui concerne l'analyse des « techniques du corps » que Bourdieu interprète d'une tout autre manière. Pour sa part, Goffman ne voyait pas les deux approches comme nécessairement contradictoires. S'il reconnaissait l'importance des structures de la vie sociale, il s'est attaché à décrire l'expérience que les acteurs pouvaient en avoir (*Les Cadres de l'expérience*).

C'est bien sûr à la lumière de cet essai qu'il faut lire la critique qu'Alexander propose de la théorie bourdieusienne. Décortiquant les grands concepts centraux de cette théorie, il tente de montrer que Bourdieu ne parvient pas à échapper à la réduction sociologique que sa théorie opère, malgré ses dénégations. Ainsi, pour Alexander, l'*habitus* est en dernière instance déterminé chez Bourdieu par la position sociale, et *in fine*, par les conditions matérielles d'existence. Si Bourdieu affirme que l'espace des dispositions symboliques est homologue (et non déterminé) à l'espace des positions sociales, de nombreux passages dans l'œuvre bourdieusienne, notamment lors d'explications orales ou de conférences, contredisent cette prudence et reviennent en dernière analyse à supposer une détermination de l'*habitus*. On voit qu'Alexander ne fait ici que pointer à nouveau une ambiguïté déjà remarquée à propos de la notion d'*habitus*. Cette ambiguïté conduit Bourdieu à tenter de définir l'action comme le résultat d'une « stratégie inconsciente » dont Alexander s'évertue à montrer l'inanité. Véritable « oxymore », la stratégie inconsciente met au jour le dilemme dans lequel est engluée la théorie bourdieusienne de l'action : ou bien mettre l'accent sur « le rôle de l'action non rationnelle et de l'*habitus* objectivement construit », ou bien souligner « l'importance de motivations rationnelles induisant des résultats objectifs[11] ». Pour Alexander, la forme synthétique que prend la présentation par Bourdieu de sa propre théorie masque la réalité d'une théorie qui ne réussit pas à faire la synthèse et glisse perpétuellement du côté des déterminations objectives. Plus profondément, l'*habitus* bourdieusien tente de mélanger deux principes explicatifs : la théorie de l'acteur rationnel et celle de l'ordre collectif qui restent incompatibles en fait. Le *mixtum compositum* de la stratégie inconsciente revient à affirmer que le comportement des agents est à la fois rationnel (répondant à un calcul d'utilité) et à la fois non rationnel (déterminé par des normes collectives).

Dans une autre perspective, Alexander critique la notion bourdieusienne de champ, et notamment les

11. *La Réduction, op. cit.*, p. 80.

relations que le sociologue établit entre les champs, situés selon lui en situation d'« homologie ». Alexander reconnaît à la théorie des champs la volonté au moins nominale de préserver la spécificité des différents domaines de la vie sociale et de ne pas les rabattre tous sur une seule logique sociale, fût-elle économique. Mais précisément pour Alexander, cette volonté n'est que nominale dans la mesure où, se réclamant de Weber, Bourdieu propose une lecture partielle du sociologue allemand (lecture qu'il n'est d'ailleurs pas le seul à faire et qui utilise une dimension présente dans l'œuvre wébérienne) qui ne va pas jusqu'au bout d'une logique respectant la pluralité d'aspects de la vie sociale. Le point d'achoppement de la théorie bourdieusienne en la matière est constitué en dernière instance par la notion d'« homologie » entre les champs qui subsume les différences dues aux activité différentes sur lesquelles reposent les champs sous une structuration identique, concrètement la polarisation de chaque champ entre dominants et dominés. Chez Bourdieu, les structurations internes aux champs sont homologues entre elles parce que les champs prennent place dans un espace social global dont la structuration forme comme la matrice des structures internes aux champs. Pour Alexander donc, Bourdieu ne respecte pas son projet initial d'analyse des différentes logiques de la vie sociale : la manière dont tous les champs sont structurés est identique parce que c'est une même logique sociale qui est à l'œuvre, celle de la lutte pour la domination et l'accumulation du capital symbolique. Alexander soupçonne donc la théorie de l'homologie de n'être qu'une reformulation mystificatrice de la théorie marxiste du « reflet » qui réduit la pluralité des logiques sociales à une seule, celle de la lutte des classes. Chez Bourdieu donc, l'autonomie et la clôture des champs sur eux-mêmes n'est jamais que partielle puisque leur mode de fonctionnement interne est le reflet ou l'homologie – ce qui revient au même ici – d'une lutte matricielle au sein de l'espace social qui aboutit à la construction d'une structure de domination.

On le voit donc, l'approche qu'Alexander propose de la théorie bourdieusienne, aussi bien en ce qui concerne l'*habitus* que les champs, analyse ses propositions théoriques et ses pratiques analytiques comme une tentative de reviviscence de la sociologie marxiste, en perte de vitesse depuis les années soixante-dix. La détermination de l'*habitus* par les conditions matérielles d'existence et la structuration des champs par reflet d'une lutte sociale qui revient peu ou prou à la lutte des classes constituent à ses yeux les preuves de son interprétation. Finalement, Alexander reproche à la société bourdieusienne de n'être qu'une société unidimensionnelle, structurée par des rapports de force verticaux et qui ignore les spécificités des sociétés démocratiques : le fait que, pour Bourdieu, « l'opinion publique n'existe pas » revient à nier la réalité de tout espace public possible, consubstantiel à l'idée de démocratie. Et d'ailleurs, cette négation est renforcée par la conception bourdieusienne du sens pratique qui nie à tout individu la capacité de réflexion théorique sur sa pratique (autrement que par le biais de l'objectivation sociologique). De ce point de vue, la critique bourdieusienne des théories proposées par Habermas, notamment contre le réductionnisme politique marxiste, est caractéristique. Pour le sociologue anglo-saxon donc, Bourdieu ne comprend pas toutes les logiques sociales non stratégiques au sein de l'espace social, il ignore délibérément le caractère multidimensionnel des sociétés démocratiques en réduisant tous les rapports sociaux à des rapports de force.

Une attaque aussi virulente, qui débouche une fois de plus, on l'aura remarqué, sur une confrontation idéologique ne sera pas restée sans réponse. Loïc Wacquant, disciple de Bourdieu et son représentant outre-Atlantique, réplique vertement à Alexander, notamment dans un article publié dans la revue *Actuel Marx*[12]. Au-delà des éléments proprement polémiques de cette intervention, il s'attache à resituer rapidement Bourdieu dans le complexe des filiations sociologiques. Pour lui, il est incontestable que nombre de postulats bourdieusiens sont empruntés à Marx, et trois d'entre eux principalement : tout d'abord le rejet d'une théorie pure dont la construction se ferait indépendamment de sa confrontation avec des objets concrets de l'investigation sociologique. Ensuite, une conception relationnelle du social qui s'interdit de penser l'action (et surtout l'action individuelle) indépendamment du système de relations sociales où elle est insérée. Enfin, une conception « agonistique » du monde social qui fait dériver les configuration sociales de luttes en leur sein. Mais, remarque aussitôt Wacquant, ces trois éléments de la théorie sociologique bourdieusienne ne sont pas propres à Marx. Ainsi, le refus d'une construction théorique pure se retrouve-t-il aussi bien chez Durkheim et Weber que chez Marx. La conception relationnelle du social est aussi partagée par Durkheim. Enfin, la conception agonistique du monde social rapproche Bourdieu aussi bien de Weber que de Marx. Finalement, les filiations entre Bourdieu et Marx sont uniquement théoriques et surtout si peu spécifiques qu'elles peuvent être attribuées aussi bien à Weber qu'à Durkheim. Pour Wacquant, la démonstration d'Alexan-

12. L. Wacquant, « Notes tardives sur le "marxisme" de Bourdieu », art. cit.

der revient donc à une tentative de disqualification scientifique qui a recours aux armes du procès politique pour arriver à ses fins.

DE L'UTILITARISME EN SOCIOLOGIE

La conception « agonistique » que Bourdieu développe des relations sociales est apparue réductrice à d'autres sociologues issus d'horizons bien différents de Boudon et Alexander. Ces deux dernières critiques en effet se retrouvent sur le reproche de « déterminisme » et de « holisme » qu'elles formulent à l'égard de Bourdieu. Dans les deux cas, c'est bien la liberté individuelle qu'il s'agit de sauvegarder contre les déterminations sociales mises en lumière par Bourdieu. Mais l'idée même de conflit et donc d'intérêt et de stratégie de maximisation des profits comme principe explicatif de toutes les relations sociales a pu être par ailleurs fortement contestée ; et en premier lieu par les théories sociologiques qui critiquent de manière plus générale la réduction de la vie sociale à des motivations utilitaristes. C'est le cas de la réflexion sociologique développée par Alain Caillé au sein du MAUSS (Mouvement anti-utilitariste dans les sciences sociales). Le mouvement du MAUSS rassemble un certain nombre de chercheurs, sociologues et économistes pour tenter de réagir à l'utilisation de plus en plus fréquente de la « raison utilitaire » dans les sciences sociales. Plus précisément, il s'agit d'affirmer l'irréductibilité de la logique spécifique au lien social par rapport à la logique fondée sur l'intérêt qui prévaut dans les théories économiques néoclassiques. Ce mouvement intellectuel s'est défini par la publication d'un manifeste lançant des pistes de réflexion et de recherche sur la construction de théories économiques et sociologiques alternatives[13].

Alain Caillé se situe donc dans une perspective ouvertement anthropologique en s'inscrivant dans la filiation intellectuelle de *l'Essai sur le don* de Marcel Mauss d'abord, de la critique de la raison utilitaire par Marshall Sahlins[14] ensuite. Dans *l'Essai sur le don*, Marcel Mauss affirme que, dans les sociétés archaïques, les échanges économiques ne correspondent pas nécessairement (et même pas du tout dans certains cas) à une logique « économique » de maximisation du profit. La logique du don, qui implique trois obligations : de donner, de recevoir et de rendre, ne constitue pas l'équivalent primitif du prêt mais organise une circulation de biens matériels au sein de la société qui a pour objectif et conséquence de construire et développer la solidarité entre les membres de la communauté. Autrement dit, le don n'est pas « économique » dans sa finalité. Il n'est rien d'autre que du lien social. Alain Caillé considère que ce modèle d'échange économique est extensible aux sociétés modernes[15]. Plus encore, il en constitue le modèle par rapport auquel peuvent se comprendre les logiques marchandes et étatiques. La critique que développe Caillé du développement de l'utilitarisme dans les sciences sociales prend pour objet non seulement la sociologie bourdieusienne, on va voir en quels termes, mais aussi l'individualisme méthodologique de Raymond Boudon, entre autres, en ce qu'il étend indûment la logique de l'intérêt qui constitue l'*homo œconomicus* de l'économie classique

13. Alain Caillé, *Critique de la raison utilitaire,* La Découverte, Paris, 1989.

14. M. Sahlins, *Au cœur des sociétés, raison utilitaire et raison culturelle,* Gallimard, Paris, 1989.

15. A. Caillé, « Ce que donner veut dire. Don et intérêt », *Revue du MAUSS*, n° 1, La Découverte, Paris, 1993.

aux relations sociales. C'est donc globalement une critique d'« économicisme » que Caillé et son groupe adressent à ces théories sociologiques[16].

En ce qui concerne la théorie de l'intérêt et du conflit développée par Bourdieu, Caillé lui reproche d'avoir étendu à tout l'univers social les fondements du comportement économique[17]. Et de fait, la lecture de l'œuvre bourdieusienne peut donner lieu à ce type d'interprétation dans la mesure où elle repose sur une véritable extension du domaine de la lutte économique à tous les secteurs de la vie sociale et surtout symbolique. Les profits maximisés ne sont plus seulement économiques mais aussi symboliques, le capital se décline en plusieurs espèces de capitaux et les « biens symboliques » sont soumis dans certains cas à une logique de marché puisqu'une partie de leur valeur est déterminée par leur rareté. Il reste cependant que l'« économicisme » bourdieusien ne se réduit pas à l'application pure et simple des logiques de marché aux biens culturels et symboliques. L'intérêt qu'il manipule dans sa théorie sociologique ne correspond pas seulement à une logique de maximisation des profits, fussent-ils symboliques, mais est avant tout un intérêt propre au champ dans lequel l'agent intervient, un investissement personnel de l'agent dans le champ, ce que Bourdieu appellera progressivement une *illusio* afin d'éviter une interprétation trop restrictive, c'est-à-dire précisément économiciste de sa notion d'intérêt. C'est pourquoi le champ bourdieusien n'est pas fondamentalement un marché dans la mesure où les positions

16. A. Caillé « Les sciences économiques au cœur des sciences sociales », *in* Richard Swedberg (sous la dir.), *Histoire de la sociologie économique,* Desclée de Brouwer, Paris, 1994, pp. 7-23.

17. A. Caillé, *Don, intérêt et désintéressement. Bourdieu, Mauss, Platon et quelques autres,* La Découverte, Paris, 1994.

dans le champ se déterminent en fonction d'une structure qui est propre au champ et qui n'est pas entièrement déterminée par la rareté. Ce serait donc une erreur de considérer que Bourdieu étend les modes de fonctionnement des marchés économiques aux logiques sociales de manière directe et non médiatisée. Les prises de position de Bourdieu vis-à-vis de l'économie et des rapports qu'elle entretient avec la sociologie sont remarquablement constantes et, pour l'essentiel, au nombre de deux : tout d'abord, le sociologue ne croit pas en la validité d'un modèle de comportement économique fonctionnant de manière autonome pour les agents, c'est-à-dire indépendamment des conditions sociales d'existence, et plus largement des positions dans l'espace social. Le capital économique est un type de capital parmi les autres espèces de capital et sa valeur n'a de sens que pour autant qu'il est reconverti dans les autres espèces de capital (social et culturel notamment). Dans l'un de ses derniers ouvrages, *Les Structures sociales de l'économie*, Bourdieu réaffirme l'inclusion des logiques économiques dans des logiques sociales plus larges qui les englobent, à la suite d'ailleurs de Marcel Mauss et de Karl Polanyi par exemple. Par ailleurs, le capital économique est essentiellement dans sa sociologie un instrument de pouvoir, dont la reconversion peut procurer diverses formes de pouvoir, et, en ce sens, sa sociologie est réellement « utilitariste » dans la mesure où elle se définit comme une « économie des phénomènes symboliques[18] », c'est-à-dire une extension à tous les domaines de la vie sociale de la notion d'intérêt qui, dans les théories économiques néo-classiques, motive le comportement des agents. Mais Bourdieu prend soin de préciser que seul

18. *Questions de sociologie, op. cit.*, p. 61.

le mot est commun entre les deux théories. L'intérêt que Bourdieu découvre au cœur des comportements sociaux n'est pas cette notion à prétention universelle que l'on retrouve chez l'*homo œconomicus*. L'intérêt bourdieusien, qu'il faudrait en effet appeler *illusio*, est spécifique à la fois à la position sociale des agents, et aux champs dans lesquels il s'investit. Si extension il y a de la logique économique au sens strict chez Bourdieu, cette extension correspond aussi à un élargissement considérable des variations possibles de cette logique en fonction des contextes sociaux (ou plutôt de la structure qui les informe).

Un des points les plus intéressants de l'opposition entre Caillé et Bourdieu est cependant la lecture que chacun d'eux fait de l'*Essai sur le don*, dont l'importance théorique pour les sciences sociales contemporaines n'est plus à démontrer. Tous les deux accordent une importance égale au fait que dans la logique du don, le contre-don est toujours différé et jamais strictement équivalent au don, mais pour en tirer des conclusions différentes. Pour Godbout[19] et Caillé, le don s'effectue sans esprit de retour, c'est-à-dire avec une incertitude sur le contre-don. L'obligation de rendre est en effet une obligation morale et non légale, qui sépare radicalement la logique du don de celle de l'échange marchand. C'est à la fois ce temps différé et cette incertitude quant au contre-don qui créent le lien social : donner sans esprit de retour et en sachant que le contre-don sera différé, c'est en effet marquer socialement que le bien matériel n'est pas une finalité de l'échange, mais un support à l'établissement d'un lien social entre donateur et donataire. Bourdieu s'intéresse lui aussi au caractère différé du contre-don, notamment

19. Jacques T. Godbout, *L'Esprit du don*, La Découverte, Paris, 1992.

dans *Le Sens pratique*. Il voit lui aussi dans l'espace temporel qui éloigne le contre-don du don à la fois un moyen de marquer que le don s'effectue sans esprit de retour, c'est-à-dire de manière ouvertement désintéressée, et un moyen de créer un lien social entre donateur et donataire. Mais il se distingue nettement de Caillé en même temps que de Mauss, semble-t-il, lorsqu'il qualifie le lien social créé par le don comme une relation de pouvoir entre les agents. Comme le dit Godelier, « le don oblige[20] », et c'est dans cette relation d'obligeance du donataire par rapport au donateur que réside la création d'une relation de pouvoir entre les deux agents, forme primitive parce que personnelle de la domination. Pour Bourdieu, l'économie du don est la première opération de reconversion du capital économique en capital symbolique et en capital social. On voit donc que l'opposition entre les deux théories du don n'est pas si complète qu'elle en a l'air. Les deux sociologues s'accordent à reconnaître avec Mauss dans le don une opération de transmutation des biens matériels en lien social. Leur divergence, de nature presque axiomatique, repose sur le contenu qu'ils donnent au lien ainsi créé. Il est fort probable que ce contenu soit déterminé *in fine* par des éléments extérieurs à l'économie du don. Si on peut admettre avec Caillé que le don est présent dans toutes les sociétés comme moyen de transformation des biens matériels en lien social, il reste que la définition de ce lien est variable selon les configurations sociales. Cette possibilité met en doute l'interprétation bourdieusienne du don, notamment en ce qui concerne l'automaticité et l'universalité de l'inégalité et de la relation de pouvoir que crée le don. On peut légitimement se demander si, comme le dit Bour-

20. Maurice Godelier, *L'Énigme du don*, Fayard, Paris, 1996.

dieu, le don crée l'inégalité, ou s'il ne vient qu'actualiser une inégalité qui lui préexiste dans certaines sociétés[21] ou entre certains agents. Il semble donc que la discussion se soit engagée sur des bases anthropologiques trop étroites et pour tout dire trop théoriques, dérivant quelque peu vers la définition d'une philosophie du don qui ne rend pas compte des variations géographiques, historiques et sociales que ce fait social peut connaître.

UNITÉ ET PLURALITÉ DE LA VIE SOCIALE

On a déjà pu repérer à quelques reprises un certain décalage entre les prises de position théoriques énoncées par Pierre Bourdieu, notamment dans l'*Esquisse* et dans *Le Sens pratique*, et des applications de cette théorie à différents domaines de la vie sociale qui ne respectent pas toujours totalement le programme annoncé. C'est peut-être là la limite d'un système théorique qui, refusant de choisir entre les antinomies de la raison sociologique, définit une position théorique acceptable et même féconde, mais difficile à tenir dans la conduite concrète des recherches parce qu'exigeant la mise en œuvre de moyens d'investigations que nul ne peut obtenir. C'est ici le problème d'une sociologie qui se veut totale qui se trouve posé. Et de fait, on a pu remarquer que, dans l'exposé du résultat de ses recherches, Bourdieu se livrait souvent à la figure rhétorique de la « totalisation au conditionnel[22] » pour présenter ceux-ci : ainsi, dans *L'Ontologie politique de*

21. On sait que Bourdieu analyse l'économie du don à partir de données ethnographiques recueillies dans la société kabyle, qui n'est pas précisément égalitaire.

22. Philippe Corcuff, art. cit., p. 104.

Martin Heidegger, le sociologue affirme que « la meilleure protection des discours savants contre l'objectivation réside [...] dans l'immensité de la tâche que suppose la mise au jour du système complet des relations dont ils tiennent leur raison d'être. C'est ainsi que, dans le cas présent, il s'agirait ni plus ni moins que de reconstruire la structure du champ de production philosophique – et toute l'histoire dont elle est l'aboutissement [...] et ainsi, de proche en proche, toute la structure sociale de l'Allemagne de Weimar[23] ». On pourrait relever d'autres passages où Bourdieu énonce à la fois l'impossibilité pratique d'accomplir totalement son programme théorique et la validité scientifique d'un accomplissement partiel de ce même programme. Il n'est pas difficile d'y voir la brèche par laquelle s'introduit subrepticement une des deux positions antinomiques, soigneusement tenue à l'écart dans les prises de position théoriques. C'est ainsi que la notion d'*habitus* n'est pas un concept déterministe en droit. Nombre d'observateurs ont cependant pu constater que son utilisation dans plusieurs études produites par Bourdieu ou ses disciples était en pratique tendanciellement déterministe. Et comment pourrait-il en être autrement dans la mesure où, construit sur un réseau de relations entre le collectif et le singulier (c'est-à-dire l'individu), le concept d'*habitus* ne peut atteindre sa pleine rentabilité pratique que nourri de données dans les deux ordres de réalité ? De la même manière, mais sur un tout autre plan, Jeffrey Alexander a pu remarquer que Bourdieu ne respectait pas, dans son utilisation de la notion de champ, la filiation wébérienne dont il se réclamait, notamment lorsque, utilisant la problématique notion d'homologie entre les champs, il avait ten-

23. Pierre Bourdieu, *L'Ontologie politique de Martin Heidegger,* Minuit, Paris, 1988, p. 14.

dance à en rabattre la diversité des modes de fonctionnement sur un principe de structuration identique. D'une certaine manière donc, on peut considérer que les notions d'*habitus* et de champ produisent des difficultés interprétatives qui invitent à redéfinir certains aspects de la sociologie bourdieusienne. Celle-ci a donc donné lieu à des filiations théoriques non contrôlées, qui ne se contentent pas d'appliquer mécaniquement le système sociologique défini par le maître à de nouveaux champs d'application mais tentent d'élaborer des synthèses théoriques originales à partir d'une utilisation critique de certains des concepts bourdieusiens.

Le sociologue Bernard Lahire en constitue le premier exemple. Se détachant nettement de l'« école bourdieusienne » qu'il critique, l'approche sociologique qu'il propose se fonde sur une réinterprétation « hétérodoxe » de la notion d'*habitus*[24]. Cette utilisation critique du concept s'appuie sur une réactualisation des concepts psychologiques que Bourdieu utilise pour définir l'*habitus*. Ainsi, les notions de « dispositions », d'« incorporation », de « schèmes » sur lesquelles le concept d'*habitus* se construit correspondent à l'importation dans la sociologie bourdieusienne de notions psychologiques de son époque, inspirées notamment de la psychologie de Piaget, quoique dans une tout autre perspective, comme l'ont fait remarquer nombre de commentateurs[25] et Bourdieu lui-même. Il reste que, pour Lahire, la psychologie piagetienne est aujourd'hui datée et partiellement remise en cause, notamment en ce qui concerne la notion de « transfé-

24. B. Lahire, « De la théorie de l'*habitus* à une sociologie psychologique », in *Le Travail sociologique de Pierre Bourdieu, op. cit.*

25. A. Mary, « Le corps, la maison, le marché et les jeux. Paradigmes et métaphores dans le "bricolage" de la notion d'*habitus* », *Lectures de Pierre Bourdieu, Cahiers du* LASA, 8-9.

rabilité » des dispositions acquises. Le concept bourdieusien d'*habitus*, qui présuppose qu'une disposition comme par exemple la disposition cultivée soit réinvestie dans des contextes différents, demande donc à être réévalué.

C'est ce que propose Bernard Lahire en proposant une contextualisation des régimes d'action et en étudiant la manière différentielle dont l'*habitus* est réinvesti selon les contextes. On pourra ainsi par exemple voir combien la pratique de la lecture chez les enfants et adolescents varie selon qu'elle s'inscrit dans un contexte scolaire ou extra-scolaire, là où l'utilisation bourdieusienne de l'*habitus* évalue une disposition générale à la lecture, variable selon les milieux sociaux mais s'appliquant identiquement à tous les contextes[26]. C'est donc, selon Bernard Lahire, à une véritable « casuistique » des modalités de concrétisation et d'application de l'*habitus* selon les contextes que doit se livrer une sociologie qui prendrait cette notion au sérieux. Car le sociologue doute que Bourdieu utilise pleinement le concept qu'il affirme pourtant être central dans sa théorie sociologique. Si, en effet, l'*habitus* est utilisé par Bourdieu comme ce qui permet de comprendre la réflexion des structures sociales dans le comportement individuel (l'« intériorisation de l'extériorité »), force est de constater que son approche reste relativement abstraite quant aux modalités de l'intériorisation (autrement dit, ce qui se passe vraiment lors de l'apprentissage). Et, de ce point de vue, on ne peut qu'être étonné que le sociologue n'ait pas consacré d'étude approfondie à l'apprentissage infantile, pourtant central dans la formation de l'*habitus*. Par ailleurs, si les schèmes et dispositions qui constituent l'*habitus*

26. B. Lahire, *Culture écrite et inégalité scolaire. Sociologie de l'« échec scolaire » à l'école primaire,* PUL, Lyon, 1993.

jouent un rôle essentiel dans la détermination de l'action, et plus largement du « sens pratique », il est clair que le sociologue prend rarement une perspective micro-sociologique qui serait à même d'en étudier le mode de fonctionnement dans des situations concrètes.

Autrement dit, Bernard Lahire pointe le décalage dans la sociologie bourdieusienne entre un programme théorique et une pratique sociologique : prendre au sérieux la notion d'*habitus* devrait en toute logique conduire à mettre en œuvre une « sociologie psychologique » qui prenne en compte de manière beaucoup plus approfondie que ne le fait Bourdieu l'étude des singularités, et surtout les données biographiques. À cet égard, on ne peut qu'être déçu de *L'Ontologie politique de Martin Heidegger*, seul essai biographique de Pierre Bourdieu, qui ne concrétise pas le programme annoncé. Si l'on resitue le problème posé par Lahire par rapport au développement génétique de l'œuvre bourdieusienne, on peut dire en effet que la position théorique à laquelle le sociologue parvient très tôt (dès l'*Esquisse pour une théorie de la pratique*) ouvre la voie à deux sociologies possibles, l'une centrée sur l'étude de la structuration de l'action individuelle par le biais des structures sociales – ce que sera effectivement la sociologie bourdieusienne développant la notion de champ –, l'autre sur la contextualisation de l'*habitus* aboutissant à la notion d'« homme pluriel » que propose Bernard Lahire[27].

Au fil des lectures critiques de la sociologie développée par Bourdieu, on se rend donc compte que c'est finalement la même question qui lui est posée, revenant sous des formes variées – de la plus idéologique (Boudon, Alexander) à la plus académique (Corcuff, Lahire)

27. B. Lahire, *L'Homme pluriel. Les ressorts de l'action*, Nathan, Paris, 1998.

– au problème des antinomies de la raison sociologique. Un des développements récents les plus intéressants de cette problématique, abordée sous un tout autre point de vue, revient à un ancien élève de Bourdieu[28]. Luc Boltanski a construit une œuvre sociologique autonome à partir des années quatre-vingt en s'attaquant à plusieurs des points aveugles de la sociologie bourdieusienne : la question de la position du chercheur par rapport à son objet d'étude, celle de l'opposition entre l'individuel et le collectif, la question enfin de la tension entre différentes logiques d'action contextualisées. Son travail sur les cadres, publié en 1982[29], part d'une question très bourdieusienne : quelles sont les logiques classificatoires qu'utilisent les agents pour définir, et se définir, au sein d'une catégorie aussi floue que celle de cadre ? Cette réflexion le conduit à confronter et problématiser le rapport qu'on peut établir entre les opérations de catégorisation opérées par les agents et celles qu'opère le chercheur en sciences sociales, qui constitue l'essentiel de son travail. On sait que Bourdieu, qui se situe de ce point de vue dans la plus pure tradition durkheimienne, a résolu la question en instituant une coupure épistémologique entre les classements opérés par les agents, produits de leur *habitus* comme principe de vision et de division du monde social, et ceux qu'effectuent les sociologues, véritable « point de vue des points de vue », situé en surplomb. Luc Boltanski, qui se rapproche fortement de ce point de vue des travaux de Bruno Latour en sociologie des sciences, récuse l'imposition arbitraire du « grand partage » entre les deux pratiques classificatoires. Il consi-

28. Il fut coauteur avec Bourdieu d'*Un art moyen. Les usages sociaux de la photographie, op. cit.*

29. L. Boltanski, *Les Cadres. Formation d'un groupe social,* Minuit, Paris, 1982.

dère ainsi que les agents sont dotés d'une compétence réflexive qui n'est pas nécessairement la pure expression d'une position dans l'espace social et que, par ailleurs, la capacité à la généralisation est beaucoup plus largement distribuée que ne présupposait Bourdieu dans son analyse du sens pratique. Définissant ainsi les fondements de ce son travail ultérieur, Luc Boltanski se distingue assez radicalement de la propension bourdieusienne à prendre les agents pour des « *cultural dopes* » (idiots culturels), selon le mot de Garfinkel, en reconnaissant aux agents la capacité à réfléchir sur leur action en établissant une dialectique du général et du particulier qui donne lieu à des justifications, thème central de sa sociologie.

En analysant les lettres de protestation que des lecteurs du *Monde* ont envoyées à leur journal favori[30], Boltanski en arrive à la conclusion que l'exposé des griefs doit en passer par la mise en œuvre d'une stratégie de généralisation pour devenir socialement acceptable, qu'autrement dit, les dénonciateurs doivent « se grandir », eux et leurs griefs, pour accéder à l'espace du débat public. Mais aussi, et c'est le point le plus important de la démonstration, la généralisation des points de vue particuliers se fait par des voies diversifiées, ce qui donne lieu à l'« idée d'une justice par des voies inhabituelles, non pas par une règle transcendantale, mais en suivant les contraintes d'ordre pragmatique qui portent sur la pertinence d'un dispositif, ou si l'on veut, sa justesse[31] ». C'est par cette voie que va pouvoir être étudiée la pluralité des régimes d'action, recourant à des logiques de justification différentes, et

30. Travail dont les résultat furent publiés dans « La Dénonciation », *Actes de la recherche en sciences sociales* n° 51, pp. 3-40.
31. L. Boltanski et L. Thévenot, *De la justification,* Gallimard, Paris, 1991, p. 19.

donc la « pluralité d'aspects de la vie sociale » dont on a vu que la sociologie bourdieusienne ne tenait *in fine* que peu compte.

L'ouvrage publié par Luc Boltanski et Laurent Thévenot en 1991 et intitulé *De la justification. Les économies de la grandeur* tente de mener cette étude. L'exposition des différentes formes de généralité, auxquelles correspondent différents régimes de justification de l'action, ne peut être abordée ici, pour la double raison qu'elle exigerait de longs développements et surtout qu'on quitte définitivement les rivages de la sociologie bourdieusienne. S'attachant en effet à construire une raison sociologique à partir des situations, Boltanski et Thévenot en viennent à récuser l'utilisation sociologique de « culture » et de « groupe social », concept sur lequel repose toute la sociologie bourdieusienne de la domination, et à se rapprocher fortement de l'ethnométhodologie à laquelle Bourdieu reproche d'ignorer le poids que les structures sociales font peser sur la situation d'interaction. Finalement, Boltanski reproche à Bourdieu d'objectiver la dimension normative du sens commun sans s'interroger sur son propre discours, et la dimension implicitement normative qu'implique la notion de « sociologie critique ». Récusant la possibilité pour un discours sociologique d'être à la fois axiologiquement neutre et à la fois critique[32], il se distingue très nettement d'une position qui, on l'a vu, prétend, par une conciliation des contraires, s'inscrire à la fois dans le champ académique et sur le terrain politique. L'évolution personnelle de Pierre Bourdieu, à partir des années quatre-vingt-dix, ne fera en effet que confirmer la difficulté de cette position.

C'est en jetant un regard rétrospectif sur le parcours

32. F. Dosse, *L'Empire du sens. L'humanisation des sciences sociales,* Paris, La Découverte, 1995.

accompli par Boltanski depuis l'époque où il travaillait avec Bourdieu qu'on se rend peut-être le mieux compte de la fécondité des travaux entrepris par ce dernier. C'est en effet en partant de questions profondément inscrites dans plusieurs ouvrages de Bourdieu, et au premier titre *La Distinction* qui problématise la notion de la constitution subjective et objective du groupe social, que Boltanski élabore une approche sociologique profondément originale qui va progressivement s'émanciper de la tutelle bourdieusienne. De la même manière, la notion d'*habitus* représente un effort important pour dépasser l'antinomie de l'individuel et du collectif, effort qui a sans doute ouvert la voie à des approches plus ou moins hétérodoxes par rapport à la sociologie bourdieusienne académiquement contrôlée par son initiateur. C'est à coup sûr le meilleur destin que l'on puisse souhaiter à une œuvre théorique dont la clôture sur elle-même, accompagnée d'une application mécanique à différents champs d'investigation, sans remise en cause fondamentale ni discussion, ne pourrait que signifier la fossilisation.

6. LE SOCIOLOGUE DANS LA CITÉ

« Le diable et le Bourdieu », « La Gauche a-t-elle besoin de Bourdieu ? », *Le savant et la politique. Essai sur le terrorisme sociologique de Pierre Bourdieu*, *Du journalisme après Bourdieu*, « Le populisme de gauche », on n'en finirait pas d'établir la liste des articles, tribunes et pamphlets qui prennent pour cible le sociologue depuis ces dernières années. Qu'un sociologue, professeur au Collège de France de surcroît, se retrouve ainsi au centre de la polémique politique est un fait suffisamment rare pour susciter l'interrogation. Et ce d'autant plus que la violence des arguments échangés, où les attaques *ad hominem* succèdent à la caricature, est telle qu'on ne peut qu'y voir le signe que les débats suscités dépassent largement la personne de Pierre Bourdieu pour toucher à d'autres enjeux, plus importants pour les protagonistes, tels que la question du statut des intellectuels, de la légitimité du discours scientifique dans le débat public, et plus particulièrement des rapports que la sociologie peut entretenir avec la production de discours politiques normatifs.

On reconnaîtra aisément que ces questions, la sociologie bourdieusienne en traite largement, que ce soit dans *Les Règles de l'art* ou *Homo academicus*, ouvrages qui font eux-mêmes suite à des interrogations soulevées par le sociologue dès les années soixante-dix lors de divers entretiens et articles. Ce serait pourtant une erreur de croire que des prises de position découlent naturellement de ces études. Autrement dit, la sociologie de la sociologie et plus largement du champ intellectuel que propose Bourdieu n'implique pas logiquement les positions, passées et présentes, comme intellectuel ou sociologue – ce qui ne veut pas dire qu'il n'existe aucun lien entre les deux. On en voudra pour preuve la fluctuation de ses prises de position au cours du temps, signe qu'il a pu tirer des conclusions contradictoires de sa propre sociologie. C'est d'ailleurs là un des aspects les plus intéressants de la question des rapports entre politique et sociologie. Que Bourdieu ait plus ou moins radicalement changé d'avis au cours du temps sur les fonctions et l'efficacité politique de la sociologie montre bien que celles-ci ne peuvent être déduites *a priori* de la nature même de la sociologie, mais qu'elles sont variables suivant l'état de fonctionnement de l'espace public, ce qui nous renvoie à la sociologie de la sociologie, à condition que celle-ci se fasse éminemment historique et attentive aux changements rapides qui modifient son objet. Le « cas » Bourdieu dévoile donc pleinement les difficultés d'une discussion *in abstracto* et *sub specie aeternitatis* de la place des sciences et particulièrement de la sociologie dans la cité. Car ce type de débat, pratiquement aussi vieux que la sociologie elle-même, se réduit souvent à la double question normative de ce que *doit* être la place des préoccupations politiques dans l'activité de recherche du sociologue et de ce que *doit* être la place du discours scientifique dans l'espace public. À supposer qu'on ait résolu ces questions, reste encore à se demander à quelles conditions ce discours peut efficacement remplir la fonction qu'on lui assigne. Dans la mesure où celles-ci déterminent l'audibilité du discours sociologique hors des cercles académiques, oublier de les prendre en compte dans l'analyse, c'est se condamner à en rester indéfiniment au niveau théorique de la question, sans qu'aucune conséquence pratique soit jamais possible. Ceci explique tout d'abord l'évolution continuelle de Bourdieu vers un engagement politique plus direct : se contentant au début de sa carrière de la dimension implicitement critique que la sociologie de la domination portait en elle-même, il manifeste progressivement une impatience grandissante à expliciter pour le moins cette dimension critique qui échappait encore visiblement trop à ses lecteurs. Cette évolution peut être expliquée de multiples manières, comme par exemple par une position plus affirmée du sociologue dans la hiérarchie académique qui lui donne plus d'assurance pour sortir du bois de la neutralité axiologique. Et de fait, on a pu remarquer que ses premiers engagements politiques directs coïncident avec son élection à la chaire du Collège de France en 1981, année au cours de laquelle il soutient la candidature de Coluche à l'élection présidentielle, avant de s'engager pour la Pologne avec Michel Foucault l'année suivante. *A contrario*, on a pu souligner sa remarquable absence lors des événements de mai 68, son activité militante se limitant à des interventions spécialisées sur l'enseignement supérieur, à l'inverse de nombre de ses collègues sociologues.

Mais ne faire dépendre les variations de modalités de l'engagement politique de Pierre Bourdieu que de sa position institutionnelle fournit un principe d'explication un peu court. Il faut prendre en compte aussi les variations des conditions de la prise de parole dans l'espace public au cours des ans. Il suffit, à prendre les deux extrêmes, de comparer celles-ci dans la France des années soixante où le statut de professeur d'université suffisait à assurer au détenteur du titre à la fois écoute et considération pour les propos (même lorsque ceux-ci étaient hors de propos) qu'il pouvait tenir, à celles qui structurent un espace public contemporain complètement modifié à la fois par la multiplication des canaux de communication (et donc infiniment moins contrôlés qu'il y a quarante ans), et par des évolutions au sein de la société quant à la légitimité de la prise de parole (évolutions dont Mai 68 précisément représente l'étape initiale). C'est peu dire que cette double évolution a accru considérablement le caractère « concurrentiel » de la prise de parole dans l'espace public, celui-ci étant désormais en principe ouvert à tous. En principe seulement, car dans les faits, la concurrence s'accentuant selon un processus bien connu, les conditions de prise de parole s'imposent beaucoup plus durement aux prétendants. D'où l'impression d'un « arbitraire journalistique » mettant en coupe réglée la parole publique et réduisant peu à peu la liberté d'expression. Au-delà de cette impression trompeuse, il est clair cependant que la censure qui pèse sur le débat public n'a fait que changer de forme : portant autrefois sur la qualité du locuteur qui permettait de produire une parole autorisée mais relativement bien contrôlée par celui-ci, elle porte aujourd'hui sur la forme de la parole publique, permettant à n'importe qui de produire une parole « formatée », c'est-à-dire dépossédant fortement le locuteur du contrôle de la parole qu'il produit.

Prendre en compte l'évolution en profondeur qu'a subi le débat public depuis quarante ans en France, c'est se permettre de comprendre l'évolution d'un sociologue qui, tel Pierre Bourdieu, ne peut plus aujourd'hui croire à la seule force critique du discours sociologique qui se trouve noyé dans le bruit ambiant produit continuellement par une foule de locuteurs bien plus efficaces que lui pour se faire entendre (publicitaires, hommes politiques, journalistes, artistes et sportifs dont c'est le métier) ; un sociologue qui décide alors d'ouvrir un « second front » contre le journalisme et les journalistes, par refus d'être dépossédé du contrôle sur les conditions de diffusion et de réception de sa propre parole. Pierre Bourdieu est allé très loin dans la lutte contre les conditions nouvelles imposées au débat public : fonder sa propre maison d'édition, intervenir systématiquement à contre-pied dans les émissions de télévision où il est invité [1], labelliser l'utilisation militante d'un vocabulaire sociologique élaboré dans de tout autres conditions et pour de tout autres fins, constituent autant de tentatives pour reprendre le contrôle sur la diffusion publique de son propre discours, tout en jouant le jeu de l'espace médiatique où il s'inscrit. On ne peut en effet qu'être frappé de l'habileté avec laquelle Bourdieu utilise les règles implicites qu'il faut respecter pour se faire remarquer, et mieux, entendre. On en voudra pour preuve le véritable tour de force qui consiste à transformer un long monologue devant une caméra de télévision fixe en événement médiatique dont tout le monde parle. Il reste qu'au petit jeu du manipulé manipulateur, l'essai n'est jamais qu'à moitié transformé : si Bourdieu a réussi son pari de se placer aux endroits les plus en vue de l'espace médiatique, il n'est pas certain que le contenu de son discours, et notamment la portée critique de sa sociologie – puisque c'est de là qu'il faut partir –, soit mieux perçu. Pire encore, happé dans le tourbillon des polémiques et des collectifs, des attaques et des réponses,

1. Comme lors de l'émission « Arrêt sur image » du 23 janvier 1996.

il est relativement patent que le sociologue a fortement brouillé la cohérence de son discours. Et ses adversaires ne se font pas faute de pointer les contradictions qui s'accumulent. Enfin, et c'est peut-être le plus grave, en recourant, ou en permettant à ses disciples de recourir, à son œuvre théorique comme magasin d'armes polémiques et politiques, il court le risque que celle-ci fasse en retour l'objet de critiques et de débats qui n'ont plus grand-chose à voir avec l'évaluation scientifique, que sa validité soit directement jugée dans le débat public sur des critères politiques. Et de fait, l'essai de Jacqueline Verdès-Leroux[2] en est le triste exemple ; non parce qu'il attaque le sociologue de manière polémique – ce qui peut être légitime dans la mesure où Bourdieu et les siens ne répugnent pas à recourir aux mêmes armes – mais parce qu'il tente de disqualifier la sociologie bourdieusienne en lui opposant des arguments politiques ou plus simplement d'autorité. De ce point de vue, les critiques très négatives de la presse à l'égard de cet essai montrent que le champ médiatique n'est pas si ignorant des limites que le dit Bourdieu, et qu'il n'est pas nécessairement son pire ennemi.

L'évolution continuelle qui va mener Bourdieu de la pratique d'une sociologie critique à l'engagement politique organisé est scandée par la succession d'événements forts représentant chacun une certaine rupture par rapport au précédent en même temps qu'une dimension nouvelle de l'engagement. On a conscience de ce que peut avoir d'arbitraire le fait de mettre en valeur telle publication plutôt que telle autre, telle polémique plutôt que telle autre, etc. Mais en même temps, les quelques événements qui ont été sélectionnés semblent

2. J. Verdès-Leroux, *Le savant et la politique. Essai sur le terrorisme sociologique de Pierre Bourdieu, op cit.*

bien permettre de faire le point sur les différentes facettes de l'engagement bourdieusien, sur ses multiples dimensions, et parfois sur le manque de cohérence d'un engagement pris dans le feu de l'action.

1991 : L'INVENTION DE L'INTELLECTUEL COLLECTIF

On sait que le post-scriptum aux *Règles de l'art*, intitulé « pour un corporatisme de l'universel », représente le premier texte sociologique de Bourdieu dont le caractère est ouvertement normatif. Ce n'est pas la première fois évidemment que Bourdieu produit des textes « engagés[3] » ; mais ce qui distingue celui-ci, c'est qu'il est placé en post-scriptum d'un ouvrage très classiquement sociologique, et non dans une revue intellectuelle destinée à cet effet. Le statut très particulier de ce texte, inclus dans *Les Règles de l'art* mais rejeté en post-scriptum, permet d'y voir une évolution forte chez Bourdieu dans l'articulation de sa pratique sociologique et de son engagement politique. *Les Règles de l'art* s'attachent en effet à montrer les processus par lesquels un champ littéraire autonome s'est constitué à la fin du siècle dernier. La décision de la part du sociologue de sortir de sa réserve scientifique, pour lancer à l'issue de cette analyse ce qui se révèle finalement être un appel, est motivée par les menaces qui pèsent, selon lui, sur l'autonomie du champ, pas seulement littéraire, mais plus largement intellectuel. Ces menaces se manifestent essentiellement par l'interpénétration du monde de l'art et de celui de l'argent,

3. P. Bourdieu, « Révolution dans la révolution », *Esprit*, 1961, pp. 27-40 ; P. Bourdieu, « Champ intellectuel et projet créateur », *Les Temps modernes,* XXII, 246 (« Problèmes du structuralisme »), pp. 865-906, 1966.

véritable dépossession que subissent les producteurs intellectuels de leur instrument de production. Tandis que d'un côté les manipulations qu'opère le marketing dans le milieu de l'édition aboutissent à brouiller la structure du champ littéraire en inversant la tension propre au champ entre littérature d'avant-garde et production commerciale (puisque l'une devient l'autre et inversement)[4], de l'autre côté, artistes, scientifiques et écrivains sont expulsés du débat public progressivement monopolisé par technocrates et « épistémocrates[5] » et organisé par les « doxosophes[6] » du journalisme. Cette double menace qui pèse sur le champ intellectuel, à la fois sur son autonomie en tant que champ et sur sa capacité à intervenir dans le débat public et secondairement dans le champ du pouvoir, appelle selon Bourdieu à une réponse organisée et collective, à la constitution d'une internationale des intellectuels qui, par le biais d'une défense corporatiste de ses intérêts particuliers, est à même d'imposer ses propres valeurs, c'est-à-dire celles de la raison, à l'intérieur du débat public. Bourdieu croit fermement à un possible redoublement à l'extérieur du champ intellectuel de la « ruse de la raison » qui s'est accomplie dans le champ intellectuel à travers sa constitution en champ autonome.

4. Cf. P. Bourdieu, « Une révolution conservatrice dans l'édition », *Actes de la recherche en sciences sociales,* pp. 126-127, 1999.

5. Les « experts », ceux dont le pouvoir est légitimé par la science.

6. On pourrait définir les doxosophes comme ceux pour qui tout sagesse réside dans la *doxa*, l'opinion commune. Reprenant le terme à Platon, Bourdieu désigne par là la cohorte des commentateurs et donneurs de leçon dont la fonction consiste à épaissir constamment le voile d'ignorance que constitue le sens commun partagé du champ. L'ennemi du doxosophe, c'est le sociologue bien sûr.

En ce qui concerne l'engagement personnel de Bourdieu dans cette direction, la mise en œuvre de ce qu'il appelle la « *Realpolitik* de la raison » passe par une participation active aux travaux du Comité international de soutien aux intellectuels algériens, et la constitution d'une revue, *Liber*, qui s'appuie aujourd'hui sur *Actes de la recherche en sciences sociales*. Dans les deux cas, la dimension internationale qu'implique la mise en œuvre d'une telle *Realpolitik* est patente[7]. Dépassant le cadre étroit du débat national, Bourdieu croit à l'intellectuel comme vecteur privilégié des intérêts de la raison, ce qui justifie son intervention dans le débat public. Mais cette intervention ne peut se faire que par le biais d'une véritable stratégie collective, sous peine de lutter à armes inégales avec ses concurrents. Cette idée qui n'est qu'énoncée en 1991, va se concrétiser peu à peu dans les années qui suivent : la « forteresse Bourdieu » qui va progressivement prendre forme avec *Actes*, Liber / Raisons d'agir, n'est dans l'esprit de son initiateur que le premier pas d'une réappropriation par les intellectuels de leurs instruments de production intellectuelle, véritable refuge contre l'hétéronomie politique et économique qui pèse sur le champ, et tête de pont pour une reconquête du débat public par l'« intellectuel collectif » ainsi reconstitué.

Il est difficile de ne pas voir dans la mise en œuvre de cette stratégie une certaine naïveté, notamment sur les résistances que peuvent lui opposer ceux qui sont censés en faire l'objet. Bourdieu, qui a su dénoncer en d'autres lieux les dérives d'un discours scientifique perverti par la tentation prophétique, semble céder ici aux sirènes du messianisme. On hésite en effet entre le fou

7. Cf. P. Bourdieu, « The Social Conditions of the International Circulation of Ideas » *in* R. Schusterman (éd.), *Bourdieu, a Critical Reader,* Blackwell, Oxford, 1999.

rire et l'effroi avec Philippe Corcuff et Daniel Bensaïd[8], à l'évocation de ce que serait un regroupement politique des intellectuels en tant qu'intellectuels, germe d'un parti des intellectuels, comme l'a préconisé Raisons d'agir quelques années après[9]. Une certaine liste Sarajevo en a d'ailleurs fait l'amère expérience. Plus largement, il semble bien que Bourdieu et les siens ignorent dans ce genre de proposition plusieurs faits pourtant présents dans la sociologie bourdieusienne du champ intellectuel : tout d'abord, si la ruse de la raison peut fonctionner à l'intérieur du champ intellectuel du fait précisément de l'autonomie de ce champ, en transformant les intérêts particuliers des individus en intérêt pour la raison, qu'en peut-il être lorsque ceux-ci sortent précisément du champ pour intervenir dans un espace social qui n'a pas les mêmes valeurs ? Le coup de force de Zola sur lequel Bourdieu prend constamment modèle fonctionne précisément comme coup de force parce qu'il est ponctuel et ne s'institutionnalise pas dans des structures permanentes dont la gestion ne peut que réintroduire des enjeux de pouvoir devenant des fins. Par ailleurs, il semble bien que Bourdieu ne se préoccupe pas des modifications que pourrait produire un fonctionnement corporatiste, fût-il au service de l'universel, sur un mode d'intervention dont le modèle est strictement individuel (il faudrait se demander pourquoi Zola écrit *J'accuse* et non pas *Nous accusons*), avec tout ce que cela implique en termes de mots d'ordre, de consignes, et de discipline, en un mot d'embrigadement[10], quelque peu contradictoire avec la liberté d'esprit qui est censée caractériser l'intellectuel.

8. Ph. Corcuff, D. Bensaïd, « Le diable et le Bourdieu », *Libération* du 21 octobre 1998.
9. Gérard Mauger, *Le Monde* du 26 juin 1998.
10. De « caporalisation », accuse Olivier Mongin.

Pratiquer l'activisme de la pétition tous azimuts, c'est peut-être accomplir le même chemin que celui du journaliste tant décrié qui, à la lecture d'une liste de noms au bas d'un texte, réifie ce qui ne peut être qu'une convergence ponctuelle de points de vue ou de convictions en groupe de pression, en véritable parti rassemblé en ordre de bataille derrière son chef. Dès lors, on peut se demander si le projet bourdieusien de l'intellectuel collectif n'est pas tout simplement une contradiction dans les termes qui ne respecte pas les spécificités du mode de fonctionnement d'un champ intellectuel autonome. Dans « pour un corporatisme de l'universel », Bourdieu exprime le sentiment que toutes les configurations possibles du champ intellectuel par rapport au champ du pouvoir ont déjà été historiquement actualisées [11], de l'autonomie la plus complète à l'asservissement le plus total, par exemple sous la Restauration. Il reste à se demander si ce qui n'apparaît que comme une actualisation technique des manières de rejouer le coup de force de Zola consistant à imposer ses propres valeurs au débat public ne détruit pas la fin pour laquelle elle a été conçue.

1993, *LA MISÈRE DU MONDE* : PAROLES DE DOMINÉS

C'est sans doute à la publication de *La Misère du monde* [12] en 1993 que l'on peut faire remonter le plus sûrement le premier essai par Pierre Bourdieu de produire un discours différent, qui se départisse de la production scientifique habituelle. Comme Bourdieu l'explique lui-même, cet ouvrage est un peu le résultat d'un concours de circonstances, c'est-à-dire en l'occur-

11. *Les Règles de l'art, op. cit.,* p. 550.
12. P. Bourdieu (*et al.*), *La Misère du monde, op. cit.*

rence d'une enquête commandée par la Caisse des dépôts et consignations sur la pauvreté en France. Cette enquête collective, menée sous la direction de Bourdieu, va donner lieu à la collecte de centaines d'entretiens dans toutes les couches de la société : plutôt que sur la pauvreté définie de manière strictement économique, l'équipe centre son enquête sur l'expression de la souffrance sociale ou plutôt sur la « misère de position » qui se définit par l'existence de frontières sociales à tous les niveaux de la société. L'originalité de l'ouvrage, surtout par rapport aux publications antérieures du sociologue, consiste dans la place qui est accordée à la parole des individus qui ont fait l'objet de l'enquête. Habituellement, les entretiens d'enquête ne font pas l'objet d'une publication en tant que tels ; ils servent de matériaux à l'élaboration d'une interprétation sociologique des faits qui occupe la place centrale dans l'ordre d'exposition. Renvoyés en notes ou en annexes dans la plupart des ouvrages sociologiques, y compris ceux de Bourdieu, les entretiens font ici l'objet d'une transcription minutieuse qui leur donne une place centrale. On se trouve donc devant une impressionnante collection de « témoignages » organisés par thèmes qui ont pour sujet le voisinage, les relations avec les services administratifs, les rapports à l'institution scolaire ou encore le déclin de la classe ouvrière. Mais ce serait mal comprendre l'objet du livre que de n'y voir que des témoignages, notamment au sens où les journalistes utilisent ce terme, comme récit portant sur des événements plus ou moins remarquables ou extraordinaires. Rien de tel au contraire ici, puisque c'est la vie de tous les jours qui est racontée, la multiplicité de petites souffrances et humiliations du quotidien que la technique ethnologique ou sociologique de l'entretien permet de restituer sans déformation, ni effet d'imposition. Le regard croisé que familles françaises « de souche » et familles immigrées peuvent porter les unes sur les autres à l'intérieur d'un quartier, les contradictions vécues par un policier dans l'exercice de son métier, le désarroi d'un délégué syndical, ceux de parents face à l'institution scolaire et au devenir de leurs enfants, s'expriment donc librement sans être contraints par les injonctions explicites ou implicites qu'impose l'enquête administrative ou journalistique.

Remarquablement menés, les entretiens et leur retranscription (ce qui représente le plus difficile du travail pour des raisons techniques et méthodologiques) opèrent, par leur seule force, une objectivation des points de vue subjectifs qui s'y expriment. En ce sens, l'ouvrage constitue, ne serait-ce que par les entretiens qui y sont rassemblés, une analyse sociologique de la « misère de position » (et dans une moindre mesure de la misère de situation), concept fortement articulé à la sociologie bourdieusienne de la domination. Mais au-delà de la dimension scientifique de l'ouvrage, *La Misère du monde* possède une dimension éminemment politique, puisque c'est bien de l'expression publique de points de vue privés qu'il s'agit. Il pose donc la question des médiations permettant le passage de l'un à l'autre dans l'espace public. Dès lors, se pose la question de la sociologie comme une des formes possibles de médiation, prenant place à côté du journalisme, de l'enquête administrative, mais aussi du sondage d'opinion et de la consultation électorale. Reprenant la question bourdieusienne de la production sociale de l'opinion, Patrick Champagne montre dans ce livre que cette dernière est déterminée dans sa production par les contraintes que lui imposent les institutions qui la produisent. Bourdieu assigne donc à la sociologie un statut particulier dans les institutions de médiation de l'expression des points de vue. Par les techniques d'enquête particulières qu'elle met en œuvre, par les préalables épistémologiques dont s'accompagne l'exercice de ces techniques d'enquête, la sociologie est à même de produire une objectivation neutre des points de vue. Ce travail que Bourdieu qualifie d'« objectivation participante[13] », qui recourt à la fois aux techniques de l'entretien et à celles de l'observation participante, implique en effet que l'enquêteur prenne temporairement le point de vue de l'enquêté, afin d'éviter tout effet d'imposition de problématiques, de rationalités ou de prises de position qui lui seraient étrangères. On voit donc qu'en ce qui concerne la dimension critique de la sociologie, Bourdieu l'attribue entièrement à l'objectivation sociologique, quoique sous une autre modalité que précédemment : l'objectivation ne réside pas ici dans la construction théorique par laquelle le sociologue rend compte des structures sociales, mais dans la « simple » restitution d'un discours subjectif, transformé en texte. Il reste que dans *La Misère du monde*, celui-ci demeure solidement encadré par de nombreux textes de présentation dont les auteurs sont les sociologues ayant mené les entretiens. C'est que pour Bourdieu, l'objectivation ne réside pas uniquement dans la transformation en texte de discours ou de points de vue, mais aussi dans la lecture qui en est faite. Aussi, par un curieux effet d'autorité scientifique, met-il en garde contre la tentation d'une lecture naïve de ces textes qui en détruirait l'essentiel[14]. On peut très bien saisir dans ces textes de mise en garde et les entretiens qu'il a accordés à la presse à l'occasion de la publication du livre[15] les hésitations du sociologue devant cette manière inhabituelle pour lui de faire de

13. *La Misère du monde, op. cit.*, « Comprendre ».
14. *La Misère du monde, op. cit.*, « Au lecteur ».
15. *Libération* du 11 février 1993.

la sociologie : c'est que livrant des matériaux bruts (même si c'est du « brut construit »), il prend le risque d'être dépossédé du monopole de l'interprétation de ces matériaux habituellement réservé au sociologue. D'où la multiplication des mises en garde contre l'exercice illégal de la sociologie que pourrait constituer à ses yeux une lecture directe des entretiens, sans être passé par le chemin balisé des textes de présentation et des explications sociologiques. On voit tout à fait dans ce livre combien le passage à une présentation différente du travail sociologique, plus percutante, plus politique que précédemment, s'accompagne chez le sociologue d'une hésitation constante et d'une crainte que ses textes subissent un processus d'interprétation et de commentaire non contrôlé par le sociologue.

Parallèlement, *La Misère du monde* représente une certaine rupture par rapport à la fonction que Bourdieu attribuait jusqu'alors à la sociologie. Réduite à un rôle de démystification et de désillusion, la sociologie n'est capable, pour Bourdieu, que d'« offrir [aux gens] la possibilité d'assumer leur *habitus* sans culpabilité ni souffrance[16] », dans ses premiers entretiens à ce sujet, et *La Misère du Monde*, représente une certaine continuité avec cette idée. Bourdieu tente en effet de montrer que l'entretien possède une certaine force d'objectivation dans le moment où il se fait parce qu'il permet au locuteur (par le biais notamment des questions de relance qui sont autant de miroirs que l'enquêteur tend à son interlocuteur) de prendre conscience de ce qu'il exprime au moment où il l'exprime. Pour Bourdieu, la souffrance est intimement liée au silence et aux censures que fait peser sur elle l'interdiction de s'exprimer en tant que telle publiquement. Mais ici la

16. *Questions de sociologie, op. cit.*, p. 42.

sociologie possède aussi une efficacité politique supplémentaire, dans la mesure où elle permet l'expression dans l'espace public de points de vue qui, sans cela, resteraient silencieux (ou s'exprimeraient de manière déformée c'est-à-dire méconnaissable). Vouloir rendre la parole aux dominés, c'est en dénoncer implicitement au moins (et explicitement de fait dans l'ouvrage) la confiscation, et agir sur l'espace public en y faisant accéder une parole particulière qui en a longtemps été exclue. Mais en s'effaçant ainsi, en dissimulant le travail qu'il accomplit, le sociologue contrôle d'autant moins l'utilisation qui est faite de son travail, et singulièrement la lecture à laquelle il donne lieu.

La Misère du monde fut un succès de librairie. L'engouement du public pour cet ouvrage d'un millier de pages ainsi que le retentissement qu'il a pu avoir montraient que l'expérience était réussie ; qu'il existait la possibilité de desserrer le carcan pesant sur le débat public en France en faisant valoir d'autres logiques, d'autres points de vue. *La Misère du monde* fut aussi l'ouvrage qui fit connaître Bourdieu du grand public. En proposant un ouvrage beaucoup plus facile d'accès que les précédents, le sociologue touchait un public beaucoup plus large, bien au-delà des seuls détenteurs d'un important capital culturel auxquels il croyait s'adresser exclusivement, bien des années auparavant. Sociologue de la domination, Bourdieu devenait le sociologue des dominés : il leur rendait un droit à la parole confisqué, mais surtout il légitimait par le poids du capital symbolique que lui conféraient ses titres académiques les expressions d'une souffrance – et bientôt d'une résistance – due à la domination. Si l'engagement politique direct du sociologue s'est considérablement accéléré depuis *La Misère du monde*, c'est que le succès de cet ouvrage lui laissait croire à la possibilité d'une intervention politique s'appuyant sur l'autorité scientifique que lui conférait son statut de sociologue. C'est exactement la définition classique de l'intellectuel que l'on retrouve ici. Si Pierre Bourdieu s'est bien gardé de participer aux engagements politiques directs de la plupart de ses collègues[17], c'est qu'il estimait avec raison que les structures du champ n'étaient plus les mêmes que celles qui présidaient aux destinées de Zola, par exemple[18]. Le succès de son ouvrage semble, au début des années quatre-vingt-dix, ouvrir une autre voie d'engagement possible, où le scientifique n'aurait pas à renier la spécificité de sa démarche pour se faire entendre. Et ce d'autant plus que le contexte économique et politique laissait entrevoir les danger d'un nouvel ennemi : le libéralisme.

1995 : DÉCEMBRE ROUGE

C'est en 1995, à l'occasion des grèves gigantesques que déclenche la présentation du plan Juppé sur les retraites dans le secteur public, que Bourdieu trouve l'occasion de fusionner les deux aspects antérieurs de son engagement, en prenant place aux côtés des grévistes et en apportant à ce mouvement la caution de son autorité scientifique. On verra que cet engagement implique chez Bourdieu une réinterprétation en profondeur du mouvement qui le conduira à y voir, contre ceux qui en dénoncent le caractère corporatiste, le début d'un mouvement de défense de la civilisation. Décembre 95 constitue pour beaucoup l'entrée vérita-

17. Hormis des interventions ponctuelles et spécialisées, sur la Pologne par exemple en 1982, ou dans le cadre du Comité international de soutien aux intellectuels algériens et de l'ARESER.

18. Cf. *Les Règles de l'art, op. cit.,* « Pour un corporatisme de l'universel ».

ble de Bourdieu en politique. Sans ignorer les étapes préparatoires qui l'ont précédée, il est vrai qu'à partir de cette époque le sociologue passe à la vitesse supérieure et déploie une véritable activité militante qui ira jusqu'à « contaminer » son travail proprement sociologique.

Il est peut-être important de rappeler que les grèves de décembre 1995 furent provoquées par la présentation, par le Premier ministre de l'époque, d'un plan de réforme de la sécurité sociale, accompagné d'un projet de modification des régimes de retraite de la RATP et de la SNCF. Sans s'attarder sur les causes du conflit social, préparé en fait bien avant décembre par le blocage du salaire des fonctionnaires et d'autres mesures annexes, on constatera que celui-ci ne toucha que la fonction publique et assimilée, débutant par une grève des cheminots de la SNCF et des personnels de la RATP aboutissant à une paralysie complète de la France. Ceux-ci seront vite rejoints par les services de La Poste, par les personnels EDF, puis progressivement par l'ensemble de la fonction publique opposant les acquis de son statut aux impératifs budgétaires que le gouvernement lui oppose. Au-delà de leur aspect événementiel, les grèves de décembre 1995 jouèrent un rôle de catalyseur aussi bien dans le monde syndical avec l'émergence de syndicats radicaux (comme SUD) dépassant leurs aînés plus traditionnels sur la gauche, que sur le plan politique avec une visibilité beaucoup plus grande de petits partis d'extrême gauche comme le Parti des travailleurs, la Ligue communiste révolutionnaire ou Lutte Ouvrière, et enfin dans le microcosme intellectuel avec une polarisation du débat entre deux listes de signataires s'opposant sur le soutien à accorder ou non au plan Juppé. C'est ce dernier aspect qui nous intéresse plus particulièrement ici puisque Pierre Bourdieu y joue un rôle central, tant et si bien que dans les années qui suivent immédiatement les événements de décembre le débat sur la sécurité sociale et sur la légitimité des mouvements de grève se réduira purement et simplement à être « pour » ou « contre » Bourdieu.

Quoi qu'il en soit, en décembre 1995, Pierre Bourdieu soutient publiquement les grévistes, et d'abord en prononçant un discours, le fameux « discours de la gare de Lyon », repris par les principaux titres de presse, et qu'il convient de relire d'un peu plus près, tant il est significatif du rôle qu'entend jouer Pierre Bourdieu dans ce mouvement, et du rôle qu'il entend voir jouer aux intellectuels [19]. Il est caractéristique en effet qu'à aucun moment Pierre Bourdieu ne se prononce dans ce discours sur la question particulière de la sécurité sociale ou des régimes de retraite, quoiqu'il semble entendu qu'il partage le point de vue des grévistes. Il s'élève immédiatement à un niveau de généralité qui inscrit le combat des grévistes dans le temps historique long, comme une réaction de défense de la « civilisation » que la pensée néo-libérale prétend liquider en un tour de main. Mais là n'est peut-être pas l'essentiel car les attaques qu'il porte dans ce discours ne visent pas particulièrement Alain Juppé, mais ceux qui défendent son projet en recourant à l'arme de la violence symbolique : les experts, en l'occurrence, pour qui il ne peut y avoir débat mais seulement explication d'une réalité inéluctable, et qui renvoient les mouvements de résistance à ce plan en dehors du cercle étroit de la « rationalité ». Autrement dit, ce qu'il dénonce avant tout comme intellectuel (et il prend soin de rappeler de quelle position il parle au début de son discours), c'est la tyrannie des experts qui tentent de confisquer le

19. Ce discours est repris dans *Contre-feux*, Liber / Raisons d'agir, Paris, 1998.

débat démocratique en s'appuyant sur les arguments d'autorité que leur permettent à la fois leurs titres scolaires et leur maîtrise d'une science économique obsédée par les équilibres comptables. S'attachant très vite à définir ce que peut être le rôle des intellectuels dans ce mouvement, Pierre Bourdieu tente alors de montrer qu'ils peuvent contribuer à briser le monopole d'expression des points de vue légitimes que détiennent les experts dans un premier temps et, dans un deuxième temps, travailler à imaginer des voies de sortie alternatives, plus respectueuses des hommes et de leurs conditions de vie.

On voit donc qu'à l'origine de l'engagement politique du sociologue en 1995, il y a la double inspiration de « pour un corporatisme de l'universel » et de *La Misère du monde* : c'est d'abord en tant que sociologue, et plus largement en tant qu'intellectuel, qu'il intervient. Par ailleurs, on retrouve l'idée générale du premier texte mise concrètement en application : en défendant les grévistes, l'intellectuel défend ses propres intérêts corporatistes, et inversement, en défendant ses propres intérêts, notamment le droit d'intervenir dans le débat public au nom de sa propre rationalité, il défend du même coup les intérêts des grévistes. On comprend dès lors que l'intervention de Bourdieu porte avant tout non pas sur le fond du débat mais sur les modalités d'organisation du débat public en s'attaquant à ceux qui prétendent disqualifier *a priori* le point de vue des agents, au motif qu'ils n'entrent pas dans le cercle de la rationalité par eux défini. Cette idée est très importante parce qu'elle forme le socle à la fois de la continuité entre cette intervention et les textes publiés précédemment (notamment quant au rôle que l'on peut assigner à la sociologie comme médiatrice de l'expression publique de souffrances individuelles) et, la base de l'orientation à venir des interventions bourdieusiennes, positionnées non pas tant sur le débat lui-même que sur la légitimité des arguments avancés. Aussi la dénonciation du libéralisme s'accompagne-t-elle toujours chez Bourdieu d'une dénonciation du discours libéral et des arguments (ou plutôt de l'absence d'arguments) qu'il avance. À bien des égards donc, l'engagement bourdieusien s'apparente à une logomachie où s'affrontent des discours et des prétentions à discréditer des discours.

Un des exemples les plus fameux et les plus réussis de ce type d'intervention est le travail d'herméneutique polémique auquel s'est livré le sociologue sur un entretien donné par le président d'alors de la Banque centrale allemande, Hans Tietmeyer, au journal *Le Monde*. Objet d'une intervention à l'origine lors des Rencontres culturelles franco-allemandes à l'université de Fribourg en octobre 1996, ce court essai d'interprétation hostile fut repris dans *Libération* puis divers journaux. Dans ce texte, Bourdieu met en lumière les effets d'imposition que produit un discours euphémisé et codé par l'utilisation de termes économiques cachant mal, sous les apparences de la neutralité technicienne, l'illégitimité d'un intérêt particulier, à savoir celui des investisseurs. Ce qu'il fait apparaître par le travail de traduction auquel il se livre sur les termes de « flexibilisation du marché du travail », de « contrôle du budget », de « réforme du système social », etc., c'est la manière dont les intérêts particuliers des investisseurs se dissimulent derrière le voile d'une politique que tout un discours ronronnant tend à présenter comme inévitable. À la limite, on pourrait dire que les intérêts des investisseurs sont ni plus ni moins légitimes que ceux des travailleurs à condition qu'ils se présentent comme tels sur la base de négociations équilibrées. Mais la réalité, et la manière dont s'exprime « la pensée Tietmeyer » le prouve, est tout autre, dans la mesure où ces intérêts gagnent à tous les coups sans avoir jamais à négocier parce qu'ils opposent la neutralité apparente d'un discours réputé scientifique à des intérêts particuliers qui ne peuvent s'exprimer que sous la forme de revendications concrètes (augmentations de salaires, conditions de travail, protection sociale), c'est-à-dire précisément comme des intérêts particuliers. Le rôle du sociologue dès lors, ou plus largement de l'intellectuel qui est un professionnel de la manipulation des signes et des discours, par le capital symbolique dont il dispose, est de cibler ses interventions de manière à réduire le déséquilibre entre les deux points de vue. C'est exactement le rôle et la place que Bourdieu assigne aux intellectuels (parmi d'autres moins évidentes) dans leurs combats aux côtés du mouvement social. S'attachant à redéfinir ce rôle dans son intervention lors de la séance inaugurale des états généraux du mouvement social en novembre 1996[20], Pierre Bourdieu met en garde à la fois contre le syndrome du compagnon de route et contre celui du pétitionnaire jetable. Dans cette intervention[21], le sociologue tente de définir très concrètement ce que peut être le travail de l'intellectuel : il lui assigne une fonction précise aux côtés du mouvement social, bien loin des effets de manche et de rhétorique creuse auxquels on nous avait habitués. Cette fonction se définit pour Bourdieu avant tout comme une fonction de manipulation et de démystification des signes échangés. C'est avant tout un travail sur les mots, propre à déverrouiller l'espace public, à délégitimer l'imposition d'un carcan conceptuel qui

20. États généraux dont l'association Raisons d'agir est à la source et qui prétend amplifier le mouvement de résistance de décembre 1995.

21. Reprise dans *Contre-feux* sous le titre : « Les chercheurs, la science économique et le mouvement social. »

disqualifie par avance certaines revendications sociales. On ne compte plus les interventions et articles du sociologue fondés sur ce même modèle de décryptage et de contestation d'un sens imposé, c'est-à-dire ni plus ni moins d'une violence symbolique. Que ce soit le texte sur la « pensée Tietmeyer », la dénonciation du mythe de la « mondialisation », ou, plus récemment, celle de la « nouvelle vulgate planétaire[22] », c'est toujours d'une exégèse des termes employés qu'il part, le combat qu'il mène se déroulant d'abord sur le terrain symbolique. C'est pourquoi le combat bourdieusien sur le front du néo-libéralisme va très vite en ouvrir un second sur celui du journalisme et de ses connivences supposées, conscientes et inconscientes, avec l'expression de l'idéologie néo-libérale comme norme incontestable.

En publiant très récemment *Les Structures sociales de l'économie*[23], le sociologue a tenté de prolonger son action sur un plan plus théorique. L'ouvrage, dont le titre résume le thème, s'appuie en effet sur une étude de cas, dont les données ont été fournies par des enquêtes que Bourdieu avait menées il y a bien longtemps en compagnie d'autres sociologues, sur le marché de la maison individuelle. On peut hésiter sur le statut de ce texte dans la mesure où son unité n'est pas évidente : plusieurs chapitres reprenant des articles déjà parus dans *Actes de la recherche en sciences sociales*[24], et qui utilisent très classiquement les instruments de la sociologie bourdieusienne pour exposer l'état et le mode de fonctionnement du « champ » de

22. *Le Monde diplomatique,* mai 2000.
23. P. Bourdieu, *Les Structures sociales de l'économie, op. cit.*
24. Parmi ceux-ci, on retiendra particulièrement « Un contrat sous contrainte », *Actes de la recherche en sciences sociales,* 81-82, 1990, qui retranscrit et analyse très finement les étapes de la négociation et de l'achat d'une maison individuelle par un couple.

la maison individuelle (avec effets d'homologie entre les « sous-champs » des producteurs et des consommateurs, présence d'un « champ local », le tout structuré par deux pôles... etc.), sont précédés d'un texte beaucoup plus polémique de Pierre Bourdieu où celui-ci montre, à la suite de Mauss, Polanyi et tant d'autres, que la théorie économique libérale opère une réduction idéologique (méthodologique, disent les économistes) sur les phénomènes économiques sans voir que ceux-ci sont immergés (« *embedded* », dit Polanyi) dans la vie sociale. On voit bien l'objet du propos : opérer une critique scientifique de l'économisme néo-libéral et en même temps montrer aux responsables de l'État que, contrairement à ce qu'ils croient, un acte économique aussi « privé » que celui de l'achat d'une maison, d'une part implique bien plus en termes d'investissement social que le simple prix payé, et d'autre part, est fortement influencé par la politique (de crédit notamment) qu'ils mènent : ils ont donc des responsabilités dont ils ne peuvent se défausser en se retranchant derrière les « lois du marché » qu'ils contribuent, qu'ils le veuillent ou non, à définir. Quoi qu'il en soit, le livre de Bourdieu a fait « coup double » d'un point de vue éditorial avec celui de Frédéric Lebaron, sorti au même moment et dans la même collection, sur *La Croyance économique*[25], et qui tente de construire une sociologie économique en analysant comment les croyances économiques sont produites et reproduites par les agents sociaux, autrement dit, de poser la première pierre de ce que Bourdieu appelle de ses vœux dans son propre livre : un travail sur les représentations donc, à mi-chemin entre la recherche scientifique et l'engagement politique.

25. Frédéric Lebaron, *La Croyance économique*, Paris, Seuil, 2000.

Mais le sens de la participation de Bourdieu aux grèves de décembre 1995 ne s'arrête pas là. Car l'affrontement qui se déroula sur le terrain syndical et politique eut des répercussions immédiates dans le champ intellectuel. Le 24 novembre, la rédaction d'*Esprit* animée par Joël Roman et Olivier Mongin, appuyés dans leur démarche par Pierre Rosanvallon, lançait un « appel pour une réforme de fond de la sécurité sociale ». Cette liste de signataires, vite appelée « réforme », appuyait la démarche de la direction de la CFDT qui avait accepté de négocier une réforme de la sécurité sociale avec le gouvernement, ceci provoquant des scissions importantes à la base du syndicat (CFDT « en lutte »). Si le texte ne condamnait pas formellement le mouvement de grève, il fut interprété comme tel et, « approuvant le principe d'une réforme », il fut perçu comme une approbation du plan Juppé. Parmi les signatures, on retrouve celles de Jacques Julliard, Jean-Paul Fitoussi, Rony Brauman, Paul Ricœur. L'influence de la Fondation Saint-Simon, *think tank* social-démocrate, se fait sentir, à travers notamment la présence de Pierre Rosanvallon. Choquée par la défaite en rase campagne de la « deuxième gauche » face au plan libéral d'Alain Juppé, toute une partie de la gauche que l'on ne dit pas encore radicale, mais où s'insère déjà une partie de l'extrême gauche, décide de réagir. C'est ainsi que paraît le cinq décembre, à l'initiative de Catherine Lévy, un appel de soutien aux grévistes qui atteint vite les 500 signatures, au premier rang desquelles celle de Pierre Bourdieu. Celui-ci joua un rôle essentiel dans la rédaction du texte, mais aussi, et c'est plus important, dans le contrôle des signataires. En effet, très vite, Julien Dray et Jean-Luc Mélenchon de la Gauche socialiste (alors que le Parti socialiste hésite sur la conduite à tenir) tentent de s'associer à la liste, accompagnés d'Harlem Désir. Bourdieu les tient à l'écart : la liste doit rester entre les mains des intellectuels et universitaires qui en sont à l'origine. La liste « grève », composée en réaction aux positions prises par la liste « réforme », venait donc s'installer dans le champ médiatique comme son reflet inversé : gauche « archéo » contre gauche « moderne », « résistanciels » contre « réformistes », « gauche radicale » contre « social-démocratie », les deux listes entrèrent simultanément dans un jeu d'oppositions internes dont est familier le paysage intellectuel français. En ce qui concerne les sociologues, c'était le couple Rosanvallon/Touraine contre Bourdieu/Lacroix. Le système d'oppositions distinctives qui s'est mis en place a perduré longtemps au-delà des événements. Du côté bourdieusien, on s'est organisé pour faire continuer la lutte et en élargir la problématique (à la défense de la « civilisation » selon le mot de Bourdieu) : l'association Raisons d'agir est créée, en liaison avec la petite maison d'édition Liber. À la fin de l'année 1996, ce sont les états généraux du mouvement social qui sont lancés.

La polémique, qui ne fait plus référence que de manière lointaine aux événements de décembre, est relancée en 1998, lorsque la collection de Bourdieu, Liber/Raisons d'agir, publie un petit livre sur le « décembre » des intellectuels français. Cet ouvrage, qui n'est pas signé de Bourdieu mais de quelques-uns de ses disciples et de très jeunes chercheurs en sciences sociales, propose une analyse sociologique rétrospective de la constitution des deux listes de signataires de 1995. Cette analyse, qui recourt lourdement aux concepts bourdieusiens d'analyse du champ intellectuel, propose de voir dans les deux listes les deux pôles qui structurent ce champ : d'un côté le pôle proche du champ du pouvoir (socialement dominant et scientifiquement dominé), et de l'autre le pôle proprement intellectuel (socialement dominé et scientifiquement dominant). Si bien sûr, il convient de nuancer le manichéisme de cette analyse (les auteurs s'en prennent au sociologue Touraine mais épargnent l'historien Rosanvallon), il reste néanmoins que le procédé consistant à mobiliser des instruments scientifiques d'analyse sociologique pour appuyer une position polémique et disqualifier l'adversaire a provoqué un choc, y compris parmi certains partisans de Bourdieu. En tout cas, la publication de cet ouvrage provoque une réaction immédiate de la part de la rédaction d'*Esprit* [26] qui dénonce le procédé et accuse Bourdieu de « populisme » en cherchant à démolir les médiations politiques et syndicales. Ce sera l'angle d'attaque privilégié de la revue *Esprit* contre Bourdieu : celui-ci prétend parler au nom des dominés sans leur donner la parole [27]. Évidemment, on a vu que la sociologie bourdieusienne, dans *La Misère du monde*, prétend être une forme de médiation, mais qui se distingue de toutes les autres (champ journalistique, institutions politiques, sondages d'opinion) parce qu'elle est, pour le sociologue, la seule capable de restituer l'expression de la souffrance des dominés sans la filtrer par le biais du point de vue des dominants. Plus généralement, la critique de l'utilisation politique que Bourdieu fait de sa sociologie y voit un manichéisme sociologique réducteur [28] entre dominants et dominés qui s'accompagne d'un manichéisme politique où il suffit de parler des dominés pour être de gauche. De manière générale, il semble bien que le débat entre bourdieusiens et *Esprit*, qui recouvre largement celui entre gauche radicale et gau-

26. « Du populisme façon Bourdieu ou la tentation du mépris », *Esprit,* juillet 1998.
27. Argument développé par Jean-Claude Monot dans *Le Travail sociologique de Pierre Bourdieu, op. cit.*
28. Cf. Bruno Latour « La gauche a-t-elle besoin de Bourdieu ? », *Libération,* 15 septembre 1998.

che réformiste, finit par tourner à vide, dans la mesure où les uns et les autres prennent des positions par opposition distinctive. Difficile, en effet, de ne pas y voir une structure d'opposition au sein de la gauche, dont la justification se réduit au fait qu'elle existe.

1996 : BOURDIEU ET LE JOURNALISME

On l'a dit, le combat politique de Bourdieu, se situant souvent au niveau des discours et de leur représentation et traitements, a vite débouché sur une critique du « champ journalistique » comme institution maintenant structurellement une différence de traitement entre le point de vue des dominants (le discours économique néo-libéral bénéficiant de l'autorité de la science) et celui des dominés (réduit à l'expression d'intérêts particuliers illégitimes, ou pire, déraisonnables). On a pu remarquer combien Bourdieu dans ses œuvres théoriques en vient souvent à formuler des critiques à l'égard du journalisme pour lequel il semble ressentir un souverain mépris : normativité petite-bourgeoise du discours journalistique dans *La Distinction*, mélange des genres entre universitaires et journalistes dans *Homo academicus*, etc. Cette critique du journalisme a pris réellement toute son ampleur lorsque le sociologue s'est investi pleinement dans le combat politique puisque celui-ci, se situant d'emblée au niveau des représentations et des discours, peut pointer la complicité dont font preuve les journalistes dans la mise en place de la violence symbolique qui fait apparaître la vulgate néo-libérale sous les meilleurs auspices. C'est le sens en tout cas de l'ouvrage publié par Serge Halimi, journaliste au *Monde diplomatique*, sur *Les Nouveaux Chiens de garde*, aux éditions Liber/

Raisons d'agir. Le journaliste pamphlétaire tente de mettre en lumière l'asservissement des milieux du journalisme aux « maîtres du monde » qui détiennent, par le biais de l'argent, un pouvoir particulièrement étroit sur eux. Ainsi Halimi pointe-t-il la reprise et la diffusion par les journalistes du discours néo-libéral, porté au rang d'évidence, sans remise en question aucune. Si les journalistes sont asservis au pouvoir économique, ils sont particulièrement dangereux dans la mesure où ils ont une position dominante dans le champ de diffusion des idées et œuvres de l'esprit, autrement dit dans la constitution de l'espace public comme espace de discussion politique. Cette attaque frontale déclenchera des réactions particulièrement outrées et violentes, notamment de la part de journalistes nominativement épinglés par Halimi, parmi lesquels Edwy Plenel, à l'époque directeur de la rédaction du *Monde*[29].

Au-delà des polémiques très violentes qui émaillent régulièrement ce débat, on peut cependant constater que Bourdieu cherche perpétuellement à appuyer son analyse du journalisme sur une analyse sociologique qui se veut rigoureuse[30]. Ainsi, son intervention télévisée du 18 mars 1996 prenait-elle la forme d'un cours du Collège de France, où le souci pédagogique s'alliait avec les précautions méthodologiques et l'utilisation de concepts directement empruntés à sa sociologie, au premier rang desquels la notion de champ. Ce que Bourdieu étudie dans cette intervention[31], ce n'est pas tant le journalisme en soi, encore moins les journalistes, contrairement aux interprétations qui en ont été

29. « Le faux procès du journalisme », *Le Monde diplomatique*, février 1998.

30. Cf. *Actes de la recherche en sciences sociales, L'Emprise du journalisme,* 101-102, 1994.

31. Reprise dans *Sur la télévision,* Paris, Liber, 1996.

faites[32], que la constitution et l'état du champ journalistique ainsi que l'influence qu'a eue sur ce champ l'introduction à partir des années cinquante de la télévision. Comme pour les autres champs spécialisés (et spécialement les champs de production intellectuelle comme la littérature et la production scientifique), Bourdieu cherche à montrer que celui-ci est structuré par l'opposition entre deux pôles, l'un constitué par la presse « grand public », fortement dépendant de son succès commercial et donc soumis à la logique économique, l'autre par la « presse sérieuse », à plus faible tirage, et dont l'autonomie à l'égard du succès commercial est plus importante, les critères d'évaluation des pratiques journalistiques y étant définis par la conformité aux règles implicites et explicites que les journalistes se donnent dans leur propre pratique. Pour Bourdieu, le champ journalistique est ainsi structuré depuis le XIXe siècle, où s'opposent une presse à scandale et à fort tirage, et une presse indépendante, ou plutôt autonome, travaillant à définir ses propres valeurs. Le champ journalistique, comme pour tout autre champ, est traversé d'un conflit entre les deux pôles dont l'issue est déterminée par l'autonomie globale du champ à l'égard du champ du pouvoir. C'est à partir de cette analyse que peut être interprétée l'entrée de la télévision dans le champ comme le coup décisif qui va amoindrir considérablement cette autonomie globale. Il est clair en effet pour Bourdieu que, structurellement, parce qu'elle repose sur la mise en œuvre de moyens techniques sophistiqués et chers, la télévision est fortement dépendante du pouvoir économique, que celui-ci ait d'ailleurs pour origine l'État (comme aux débuts de la télévision), ou une entreprise

32. Et contrairement d'ailleurs à Serge Halimi, beaucoup plus polémique dans son essai de 1998.

privée (comme Bouygues). Il importe cependant de ne pas se limiter à une critique de l'asservissement de la télévision à des intérêts économiques en soupçonnant des déterminations directes. Ceux qui cherchent à voir dans TF1, une immense caisse d'amplification de la propagande au service de l'entrepreneur du béton manquent l'essentiel. Concrètement, Bouygues n'a pas à donner des ordres directs à la rédaction dont il est propriétaire pour que soient servis ses intérêts. Pour Bourdieu, ces intérêts sont essentiellement commerciaux et, de ce point de vue, l'introduction de la télévision dans le champ journalistique, et singulièrement des télévisions privées, doit être analysée comme l'introduction d'une logique d'évaluation commerciale dans les valeurs constituant le champ, et donc d'une plus grande hétéronomie du champ lui-même avant d'être celle d'organes de presse particuliers. C'est bien sûr l'importance de l'« audimat » qui est ici visée, critère d'évaluation des pratiques journalistiques dont l'importance est grandissante pour la télévision bien sûr, mais aussi secondairement pour les organes de presse écrite, sous la forme de l'obsession des tirages et exemplaires vendus.

Les conséquences de l'hétéronomisation du champ journalistique par l'audimat sont analysées en détail par Bourdieu. Dans la mesure où c'est la question de la largeur d'audience qui est prise comme critère, le choix des sujets d'information, la manière de les traiter doivent évidemment convenir au plus grand nombre. Cette logique du plus petit dénominateur commun aboutit à ce que le sociologue appelle le choix de sujets « *omnibus* », convenant à tous, ne choquant personne, et donc parfaitement inoffensifs par leur fadeur même. Parmi ceux-ci, le fait divers tient une place de premier choix (en concurrence avec la météo), traitement futile de sujets futiles, dont l'importance ne peut être comprise qu'en évoquant les questions plus importantes (et moins inoffensives) dont on pourrait parler, mais dont on ne parle pas « faute de temps », ce qui tombe bien.

La critique bourdieusienne de l'audimat s'accompagne d'une démonstration des capacités médiatiques de déformation de la réalité tout en donnant l'apparence d'un respect de celle-ci, qui a peu de liens logiques avec la théorie des champs. S'appuyant sur des analyses connues et popularisées depuis, Bourdieu montre en effet que l'apparence d'équilibre dans les débats télévisés (ceux organisés par Jean-Marie Cavada tiennent une place de choix dans les exemples qu'il utilise), cache des déséquilibres réels qui tiennent à la composition du plateau, à la distribution de la parole entre « témoins » et « experts », ou encore à la manière dont le journaliste-arbitre s'adresse aux uns et aux autres. De cette manière, il met en lumière la contradiction entre le rôle que le journaliste s'attribue consciemment – celui de distributeur neutre de parole – et celui qu'il joue réellement, censurant inconsciemment les agents qu'il interroge en fonction de critères (refus du jargon, brièveté de l'expression, clarté des arguments avancés) qui reproduisent et amplifient l'inégalité des intervenants dans le débat public. De la même manière, il montre combien la sélection et le traitement de l'information par les journalistes correspondent non pas au fait que celle-ci soit « intéressante » en soi (et comment pourrait-elle l'être ?), mais à l'espace des prises de position qui correspond à l'espace des positions à l'intérieur du champ journalistique. Le choix par le journaliste de traiter ou non telle information, et la manière dont il va le faire, ne sont pas déterminés, en effet, par le rapport immédiat qu'il établit avec l'information, mais par le choix et le traitement qu'ont fait d'autres journalistes occupant des positions différentes à l'intérieur du champ. Bourdieu pointe avec raison le fait que les plus grands consommateurs de médias sont les journalistes eux-mêmes : impossible de préparer le « 20 heures » sans avoir vu le « 13 heures » d'une chaîne concurrente, impossible de faire la critique de tel ouvrage sans savoir qu'un tel l'a déjà critiqué et en quels termes dans tel journal concurrent, etc. Ce système de détermination interne des comportements journalistiques aboutit à ce que Bourdieu appelle la « circulation circulaire de l'information » qui fait que ce sont toujours les mêmes informations qui sont reprises d'un organe de presse à l'autre, subtilement transformées en fonction des micro-différences que les journalistes perçoivent entre eux (mais pas le public évidemment qui, le plus souvent, ne prend connaissance de l'information que par l'entremise que d'un seul organe de presse). À cet égard, on ne peut que s'interroger sur le succès croissant des « revues de presse », « regards croisés », « commentaires » journalistiques et enquêtes journalistiques sur le journalisme qui marque l'émergence d'un « méta-journalisme » de plus en plus présent par rapport au journalisme d'enquête et de reportage.

De ce point de vue, il est difficile de ne pas voir certaines contradictions dans le discours bourdieusien sur le journalisme, et notamment entre la théorie des champs qu'il y applique en tant que sociologue, et les critiques qu'il peut formuler en tant qu'intervenant dans le champ journalistique. On sait le prix et la valeur qu'il attribue à l'autonomisation des champs spécialisés par rapport au champ du pouvoir, véritable moyen de « faire avancer l'universel », notamment par l'allongement des cycles de légitimation. Et sa critique du champ journalistique déplore la perte d'autonomie que subit le champ, du fait notamment de l'introduction de la télévision et de la logique de l'audimat qui en accroît l'hétéronomie. Mais si Bourdieu accorde le plus haut prix à l'autonomie des champs, intellectuels notamment, et à la domination spécifique que les producteurs ne s'adressant qu'à leurs pairs en retirent, en toute logique, un état idéal du champ journalistique devrait valoriser les journalistes dont la production ne s'adresse qu'à d'autres journalistes, journalistes vraiment indépendants de la logique de l'audimat, journalistes d'« avant-garde », comme il existe des peintres et poètes d'avant-garde. Proposition un peu absurde, on le sent immédiatement, quoique déjà partiellement concrétisée précisément par la circulation circulaire de l'information que Bourdieu critique par ailleurs, non plus en sociologue mais en militant. On le voit, la critique bourdieusienne du champ journalistique s'enlise un peu dans ses propres contradictions, d'abord par ce qu'elle tente de conjuguer deux niveaux d'analyse, mais aussi sans doute parce qu'elle applique un peu mécaniquement la théorie des champs à un domaine d'activité particulier, et qui ne peut aussi facilement être classé en tant que champ de production intellectuel comme un autre.

Par ailleurs, et c'est peut-être là le plus intéressant, Bourdieu justifie son intérêt à analyser le champ journalistique par l'importance qu'il peut avoir dans la divulgation des productions émanant d'autres champs intellectuels : littérature, philosophie, recherche scientifique. Bourdieu critique vertement la capacité qu'ont les journalistes à établir des jugements sur ces productions en fonction de leurs propres critères de jugement (qui reviennent le plus souvent au succès commercial) et non de la hiérarchie interne que chaque champ autonome peut définir. D'où le succès médiatique de faux philosophes (Bernard-Henri Lévy), de faux sociologues (Alain Peyrefitte qui se mêle de donner des leçons de sociologie à Bourdieu, lequel s'en étrangle d'indignation), de faux écrivains, c'est-à-dire de producteurs intellectuels dont la valeur dans le champ journalistique est inversement proportionnelle à celle qu'ils peuvent avoir dans leur champ spécifique. Autrement dit, eux-mêmes fortement soumis à des valeurs qui leur sont étrangères (celles du succès commercial), les journalistes jouent le rôle du cheval de Troie qui va amoindrir l'autonomie durement conquise par les autres champs de production culturelle en établissant une bourse des valeurs dont le critère d'évaluation ne correspond pas à la hiérarchie interne aux champs. Ainsi peut-on voir le succès médiatique de tel ou tel chercheur pris en compte de plus en plus fréquemment dans les commissions du CNRS, ou encore les petites maisons d'édition avant-gardistes succomber aux sirènes du marketing. Bourdieu en appelle donc à une maîtrise accrue des champs de production intellectuelle sur les conditions de diffusion des œuvres produites, qui n'est rien d'autre *in fine* que la soumission du champ journalistique à ces champs de production. Les contradictions de l'analyse bourdieusienne du champ journalistique entraînent donc des fluctuations dans ses prises de position normatives : d'où l'hésitation constante entre l'appel à une autonomie du champ journalistique (dont on voit mal ce qu'elle pourrait signifier concrètement), et une révolte devant le fait que la soumission des journalistes s'opère à l'égard de la rentabilité commerciale, c'est-à-dire de l'argent, et non à l'égard des valeurs produites par les champs intellectuels autonomes (scientifiques notamment). Mais pour poser la question naïvement, on voit mal pourquoi une soumission serait plus légitime que l'autre, autrement dit pourquoi les journalistes devraient célébrer l'écrivain d'avant-garde dont les recherches formelles rendent les œuvres totalement obscures au commun des mortels (par définition puisqu'il ne s'adresse pas à lui), plutôt que l'auteur à succès dont l'écriture représente le degré zéro de la littérature. L'inverse n'est bien sûr pas plus légitime, mais ce problème met bien en lumière les impasses à la fois théoriques et pratiques de l'analyse que propose Bourdieu du champ journalistique. Plus profondément, on peut se demander si le sociologue n'utilise pas ici un lourd appareillage conceptuel, pas toujours très pertinent dans ce cas, pour justifier sa nostalgie d'un ordre ancien, celui de la hiérarchisation des œuvres et des auteurs qu'opéraient naguère les institutions de reproduction de la culture légitime, au premier rang desquelles se trouve l'école[33] : on peut comprendre que Bourdieu préfère le *Lagarde et Michard* au *top ten* des meilleures ventes de *L'Express*. Mais on ne voit pas en quoi l'un est plus légitime en soi que l'autre.

1998 : LE FLÉAU NÉO-LIBÉRAL QUELLE SOCIOLOGIE DE L'ÉTAT ?

Il reste à examiner les plus récents développements de l'engagement politique bourdieusien, à la fois contre la « mondialisation » qui ne serait que la face cachée de l'américanisation[34], mais surtout contre l'idéologie politique néo-libérale appuyée sur les théories économiques du même nom. Le nouveau combat du sociologue pose un problème relativement important, pointé par de nombreux observateurs, au premier rang desquels ses adversaires de la revue *Esprit*[35] : depuis 1995 en effet, mais plus encore ces dernières années, les

33. À ce propos, on pourra lire dans *Sur la télévision* un court passage sur l'école-formatrice-des-citoyens, absolument étonnant sous la plume de l'auteur de *La Reproduction*, p. 77.

34. Cf. Bourdieu et L. Wacquant, *« La nouvelle vulgate planétaire »*, *Le Monde diplomatique*, mai 2000.

35. « Bourdieu : les couacs de l'imprécateur », *Le Nouvel Observateur,* 3 septembre 1998.

dénonciations par Bourdieu du « fléau néo-libéral » s'accompagnent d'une défense du service public et du rôle protecteur de l'État, ce qui n'est pas sans soulever des interrogations à propos du sociologue dont le gros de la production scientifique s'attache à montrer la présence de mécanismes reproducteurs de la domination au cœur même de l'État, notamment à travers l'institution scolaire. À lire des ouvrages comme *La Reproduction*, et plus encore *La Noblesse d'État*, on ne peut qu'être étonné au premier abord des déclarations du même auteur quelques dizaines d'années plus tard, à l'occasion de combats politiques. En guise de première analyse, on peut évoquer deux facteurs importants : tout d'abord, la modification du contexte politique depuis les années soixante-dix et le caractère récent de la pression qu'exerce une idéologie politique qui dû conquérir le pouvoir dans les pays anglo-saxons durant les années quatre-vingt, avant de s'imposer à l'Europe continentale avec pratiquement dix ans de décalage. On conçoit qu'alors, l'institution étatique change de visage, étant elle-même menacée par une nouvelle forme de domination, qui n'est pas sans point commun d'ailleurs, remarque Bourdieu parmi d'autres, avec l'ancienne, ne serait-ce que par sa prétention à l'universel, établissant une véritable « concurrence » des universels, l'un et l'autre s'établissant sous la forme d'un même « impérialisme de la raison ». La question de la possible continuité entre les deux formes de domination fait l'objet de quelques allusions dans certaines interventions du sociologue, mais est vite recouverte par les oppositions franches entre l'État protecteur et le marché destructeur que demandent les règles du combat politique.

Deuxième point à retenir, *La Misère du monde* semble représenter un tournant important dans l'appréhension de l'État par le sociologue, dans la mesure où cet ouvrage est à la source d'une distinction qu'il utilisera beaucoup par la suite, entre la « main gauche » et la « main droite » de l'État. À partir de cette période en effet, il semble s'appuyer constamment sur l'opposition entre une « bonne part » de l'État, représentée par la protection sociale, les services sociaux et les mécanismes de redistribution des richesses, mais aussi l'école, les hôpitaux, etc., en un mot, ce qu'il appelle le *welfare state*, et la « mauvaise part » de ce même État, représentée par l'énarchie, les hauts fonctionnaires qui cherchent par tous les moyens à réduire les crédits des ministères « dépensiers » et à liquider l'État social. Cette première distinction se double d'autres, par exemple entre la « petite noblesse d'État », et la « grande noblesse d'État[36] », ce qui n'est pas sans importance pour examiner les glissements et réévaluations opérés récemment par le sociologue quant au rôle qu'il attribue à l'État.

Dans un récent entretien[37], le sociologue, en reprenant sa distinction entre « les deux mains de l'État », donne une vision plus concrète de ce qu'elles peuvent représenter, ou plutôt de qui elles représentent. D'un côté, les services sociaux de l'État, dont les postes sont occupés par ceux qu'il appelle « les dominés du service public », majoritairement des femmes (assistantes sociales, infirmières, institutrices et professeurs) – mais pourquoi ne pas y ajouter les cheminots, les conducteurs de rames ou les postiers ? –, de l'autre, les hauts fonctionnaires et énarques. On a ici un dépassement du discours général et un peu imprécis sur l'État social « conquête historique » de la civilisation en passe d'être liquidée par le néo-libéralisme, par l'évocation des

36. Pour une des premières utilisations de ces distinctions, cf. « La main gauche et la main droite de l'État », in *Contre-feux, op. cit.* L'entretien date de 1991.

37. « Contre le fléau néo-libéral », *Le Temps,* 11 mars 1998.

agents sociaux qui sont au cœur du processus. Or, il est intéressant de constater que cette évocation entraîne logiquement une réévaluation importante du rôle historique que le sociologue attribue aux classes sociales, et singulièrement aux classes moyennes employées par l'État.

À relire *La Distinction*, on se rend compte combien les classes moyennes, appréhendées difficilement du fait de la dispersion des trajectoires individuelles, étaient cependant représentées comme globalement asservies aux classes dominantes, notamment en ce qui concerne la détermination des goûts (mais aussi des prises de position politiques), imitations serviles et un peu clinquantes de l'éthique et de l'esthétique bourgeoises. On a dit, à ce propos, combien l'espace social bourdieusien était structuré sur la polarisation entre dominants et dominés, c'est-à-dire, concrètement, à l'époque de *La Distinction*, entre bourgeoisie et classe populaire, le goût moyen ne pouvant se déterminer que par rapport à ces deux pôles structurants, en termes de trajectoires (ascendantes ou descendantes). La représentation des conflits politiques qui en découle ne peut donc s'établir que sur la base d'une alliance objective entre la bourgeoisie et la petite bourgeoisie, les classes dominées ne trouvant occasionnellement un soutien ponctuel que de la part des fractions dominées des classes dominantes, à savoir précisément, les intellectuels. Autrement dit, il semble bien que Bourdieu à l'époque, suivant en cela d'ailleurs les termes d'une analyse marxiste très traditionnelle, n'ait pu assigner aucun rôle historique à la petite-bourgeoisie, réduite à n'être que la bourgeoisie en petit, sinon celui d'assistance de la domination bourgeoise, par la mise en œuvre notamment d'un discours normatif et d'une hypercorrection qui est sa marque de fabrique et qui contribue à la diffusion et au renforcement de la violence symbolique : professeurs et journalistes, techniciens et médecins, commerçants et hôtesses d'accueil, séparés les uns des autres par des positions et des trajectoires différentes dans l'espace social, étaient globalement marqués de la même servilité intellectuelle à l'égard des valeurs bourgeoises (abstraction faite des « variations » du goût moyen qu'impliquent leurs positions différentes) qu'ils contribuaient à diffuser et imposer comme valeurs légitimes, avec l'enthousiasme du Rastignac, à l'ensemble du corps social.

Les grèves de décembre 1995, bien sûr, mais plus largement les multiples mouvements de résistance qui se sont déclarés à l'intérieur des structures de l'État, dans les services publics et assimilés où se concentre toute une part de cette petite-bourgeoisie, ont peut être amené le sociologue à réviser sa perception des dynamiques sociales et du rôle qu'y jouent les classes sociales. Mais plutôt que de se livrer à de vaines conjectures, il est peut-être intéressant de mettre au jour des questions que l'écart entre des ouvrages comme *La Distinction* ou *La Reproduction* et de plus récentes prises de position politiques du sociologue laissent en suspens. Et, en tout premier lieu, la question d'une sociologie de l'État qui n'a pas été faite en détail, en tant qu'institution concrète par le sociologue, sinon par le biais de problématiques particulières, comme celles de la sociologie de l'éducation (qui est plus une sociologie du rapport pédagogique d'ailleurs), ou du champ bureaucratique dont une analyse rapide peut livrer des indices intéressants : le texte intitulé « Esprits d'État. Genèse et structure du champ bureaucratique » publié dans *Raisons pratiques*, et qui reprend l'intervention du sociologue donnée à Amsterdam en 1991, prend pour appui une redéfinition du concept wébérien de l'État comme détenant le « monopole de l'usage légitime de la violence physique » en y ajoutant « et symbolique », ce qui est tout à fait cohérent avec sa théorie sociologique de la violence symbolique. S'intéressant à la question de l'émergence et de la construction de l'État dans une perspective proche de celle de Norbert Elias, ce qui n'est pas seulement de circonstance, Bourdieu s'intéresse aux mécanismes par lesquels l'État concentre progressivement le capital symbolique qui lui permet de mettre en œuvre une violence symbolique monopolisée, par le biais notamment de la construction d'un ordre juridique et bureaucratique. Mais il est intéressant de constater combien le sociologue, à l'instar de Norbert Elias ou Charles Tilly, focalise son analyse sur ce qu'on a appellé le « sommet de l'État », ce lieu sacré d'où rayonne le pouvoir incarné, notamment en effet, sous sa forme la plus symbolique, sans se préoccuper de la structure hiérarchique, bureaucratisée de l'État, comme si l'ordre hiérarchique rigoureux des obscurs chefs de service et sous-chefs de bureau que l'État impose à ses agents suffisait à les réduire au rôle d'exécutants sans états d'âme ni volonté propre que leur statut leur impose d'être. On a là, comme en bien d'autres cas, la reprise sans questionnement de la sociologie wébérienne de l'État rationnel-bureaucratique qui pourtant, semble-t-il, s'en tient parfois à l'expression normative des codes et lois régissant le statut des fonctionnaires, sans s'interroger sur le pouvoir concret et réel que donne au plus obscur guichetier d'un quelconque ministère le fait d'être un représentant de l'État. Considérer comme allant de soi que les orientations parties du sommet de l'État descendront sans coup férir les échelons hiérarchiques de la bureaucratie pour être appliquées telles quelles par le dernier agent au bout de la chaîne d'exécution, c'est peut-être prendre pour argent comptant la représentation mystifiée que l'État « rationnel bureaucratique » donne de lui-même et de son fonctionnement.

À fréquenter quelquefois les survivances exotiques de royaumes anciens que la colonisation n'a pas trop démolis, on apprend vite à faire la différence entre le pouvoir nominal, souvent « symbolique » en effet, de ceux que l'opinion publique désigne sous le nom de « puissants », et le pouvoir effectif, réel, par lequel il faut bien passer, sous peine de rester éternellement à la porte des palais, des « gens de rien », obscurs tâcherons dévolus aux besognes les plus obscures mais les plus stratégiques du pouvoir, et qui sont précisément d'autant plus puissants qu'ils sont plus insignifiants. Sociologie de la domination, la sociologie bourdieusienne est, pour une part, une sociologie des puissants. Il reste à se demander si elle n'est pas pour une part aussi, pour la part de mépris parfois, d'ignorance à d'autres moments à l'égard de ceux qui ne sont ni dominés ni dominants mais dans une relation ambivalente à l'égard des deux pôles de la relation de domination, une sociologie de dominant.

CONCLUSION

La sociologie bourdieusienne, centrée à ses débuts sur la mise au point de concepts scientifiques propres à rendre compte le plus justement possible de la logique de l'action individuelle, a déplacé progressivement son point de vue vers l'étude des structures sociales, délaissant dans le même temps les questions précédentes. Alors que la question de l'action fait l'objet d'une problématisation fine dans l'*Esquisse d'une théorie de la pratique* puis dans *La Distinction*, aboutissant au concept d'*habitus*, Bourdieu déplace progressivement son intérêt analytique vers la notion de champ, dans *La Noblesse d'Etat* et surtout *Les Règles de l'art*. Le concept d'*habitus* y fait alors l'objet d'une utilisation purement instrumentale, comme si la question des déterminations de l'action individuelle était réglée. Mais en contrecoup, cette évolution de la sociologie bourdieusienne modifie dans une mesure qui reste à déterminer précisément le concept d'*habitus* : l'action individuelle (et corrélativement la formation des schèmes perceptifs qui produisent une vision et une division du monde) apparaît dès lors beaucoup plus déterminée par les structures de champ, et plus largement par les structures sociales. Progressivement, la sociologie de Pierre Bourdieu se met à décrire une société profondément hiérarchisée et compartimentée, bien peu ouverte au changement social, eut, surtout, bien peu égalitaire.

À de nombreuses reprises au cours de l'exploration de la sociologie bourdieusienne, on a pu croiser des thématiques étonnamment proches de celles de Louis Dumont. L'anthropologue, qui se situe lui aussi dans la filiation intellectuelle de l'anthropologie structurale, est connu surtout pour ses travaux sur les castes indiennes, et les comparaisons qu'il en tire avec la société occidentale. De cette comparaison, il déduit que les sociétés ont deux manières opposées de penser à la fois la différence et la distribution des individus au sein du corps social : ou bien en les hiérarchisant et en verrouillant les positions respectives qu'ils occupent, ou bien en établissant une égalité formelle entre eux qui se traduit par une instabilité permanente des inégalités réelles qui perdurent, à travers les relations économiques. Il existe donc pour Dumont un grand partage du monde entre les deux types d'organisation sociale, les diverses sociétés occidentales constituant, à des degrés divers, des réalisations plus ou moins complètes de l'*homo aequalis*. Il reste que, en bon élève de Claude Lévi-Strauss, Louis Dumont construit ses modèles essentiellement à partir de l'expression théorisée dans chacun des deux types de sociétés, de l'idéologie qui l'organise, à savoir les textes religieux et philosophiques, ce qui a pour effet de délaisser plus ou moins complètement la réalité des pratiques. Ce que donne à voir l'anthropologie de Louis Dumont, c'est comment les sociétés (ou plutôt leurs élites intellectuelles et religieuses) pensent l'inégalité, se la représentent et en font la théorie de leur organisation sociale, et très peu comment elles la pratiquent. Partant d'un point de vue totalement autre – mais ce n'est pas un hasard malgré tout qu'il soit parti d'une interprétation, même totalement différente –, de l'œuvre de Claude Lévi-Strauss, la sociologie de Pierre Bourdieu semble constituer une avancée considérable sur ce point, dans la mesure où elle montre comment, dans la société française en particulier, les institutions et les actions individuelles pratiquent concrètement l'inégalité hiérarchique tout en pensant les rapports sociaux comme égalitaires. Autrement dit, ce que montre – ceci n'est évidemment qu'une interprétation – la sociologie de la domination développée par Bourdieu, c'est que le grand partage établi par Dumont au niveau des idéologies entre sociétés occidentales et le reste du monde (ou plus particulièrement la société indienne) ne résout pas le problème de l'analyse des pratiques au sein d'une société. L'analyse concrète des pratiques telle que l'a faite Bourdieu pour la société française des années 60 en particulier met en lumière combien l'idéologie égalitaire des Lumières agit comme un voile venant recouvrir et mystifier des pratiques sociales profondément inégalitaires, et le maintien d'une hiérarchie sociale (pratiquement au sens où Dumont emploie ce mot) d'Ancien Régime. Et comment interpréter autrement le sens politique d'un titre tel que *La Noblesse d'État*, présentant la formation, la production et la reproduction d'une noblesse dont l'inexistence juridique cache mal la définition quasi statutaire que lui donnent les faits ? Ce qu'apprend Bourdieu à l'anthropologue de filiation structuraliste, mais aussi au juriste, au journaliste, au philosophe et plus largement à tous ceux qui cherchent à comprendre quelque chose au fonctionnement de notre société, c'est à ne pas prendre pour argent comptant les principes sur lesquels elle prétend se constituer, par « fétichisme des principes », sans les avoir confrontés à la réalité des pratiques, l'idéologie devant toujours être complétée par une praxéologie. Les oppositions globales de valeurs que les groupes construisent sous forme d'idéologies pour structurer leur identité de groupe, pour que l'on puisse faire nettement la différence entre « nous » et « eux », – la logique de distinction, en somme –, opèrent des ruptures arbitraires dans le continuum des configurations sociales possibles et réelles que met au jour une sociologie qui est réellement anthropologique et historique, c'est-à-dire comparatiste.

Ce n'est pas dire évidemment que les principes ne comptent pour rien, et il faut leur reconnaître leur part d'efficacité, par le biais des institutions juridiques notamment, dans le fonctionnement de la réalité sociale. Mais précisément, ce qui permet à la sociologie de ne pas se réduire à n'être qu'une exégèse de la représentation qu'une société (ou une partie d'elle) se donne d'elle-même, c'est sa capacité à soupçonner les principes, par méthode et non par ressentiment, de cacher leur inefficacité partielle face à des logiques sociales récalcitrantes, voire à comprendre que les pratiques peuvent produire des idéologies. C'est exactement ce point de méthode qui donne à la sociologie sa dimension critique et sa capacité à produire des connaissances, et peu importe les intentions ou sentiments de celui qui la met en œuvre. Lire (ou relire) *La Distinction*, *La Noblesse d'État*, *La Reproduction*, mais aussi Le *Sens pratique* qui leur donne une armature théorique, c'est se donner les moyens de comprendre des faits sociaux dont le principe d'explication ne réside pas entièrement dans la loi ou les normes explicites sur lesquelles les agents prétendent régler leur conduite. La force du prestige attaché au discours normatif dans le débat public est telle qu'il est parfois sinon souvent nécessaire de rappeler de telles évidences.

Le discrédit et le désintérêt dans lesquels sont tombés la sociologie, mais aussi l'anthropologie, et plus généralement tout discours analytique de la réalité sociale, au profit des discours normatifs, comme la philosophie morale, ou militants, tient sans doute à des facteurs non conjoncturels, mais plus permanents comme la résistance que les agents, mais aussi les sociétés, opposent à toute objectivation de leur pratique. De ce point de vue, c'est plutôt la période précédente, les années 60 et 70 au cours desquelles la sociologie attirait l'attention du public, qui devrait être considérée comme une période exceptionnelle ; que Bourdieu apparaisse sur le devant de la scène médiatique, jusqu'à en devenir une véritable star, au moment même où il se met à produire un discours normatif qui vient d'abord concurrencer et ensuite remplacer son discours analytique, n'est évidemment pas dû au hasard. On peut s'interroger, comme Bourdieu le faisait lui-même d'ailleurs au début de sa carrière, sur la légitimité d'une discipline pour laquelle la demande est structurellement faible, et qui fait son travail d'accumulation des connaissances indépendamment et parfois contre la volonté des agents. C'est en effet un fait établi depuis longtemps, depuis Weber au moins, que la demande sociale s'oriente bien plus souvent vers la production d'une rationalité en valeur qu'instrumentale. À cet égard, il est significatif que la plupart des ouvrages traitant de la question mille fois rebattue de savoir « à quoi sert la sociologie », écrits par des sociologues le plus souvent – et on peut légitimement se demander s'ils sont les mieux placés pour y répondre –, ne font jamais que répondre à la question de savoir à quoi sert la sociologie pour les sociologues, ce qui est finalement très normal. C'est là sans doute un des effets les plus manifestes de l'autonomisation du champ scientifique qu'apprécie tant Bourdieu. Mais plus encore, il faut se demander si, dévoilant des mécanismes sociaux que personne ne veut voir dévoiler hormis les cyniques qui rêvent de manipulations (et ne font pas qu'en rêver parfois), et les savants dont c'est le métier de savoir, la sociologie n'est pas condamnée à osciller indéfiniment entre l'aveu de sa propre inutilité et son asservissement à des fins qui lui sont étrangères, ce qui n'est grave qu'aux yeux des sociologues. Bourdieu n'a pas tort de se demander, dans un des entretiens qu'il a pu accorder, si une vie sociale sans illusion, totalement désenchantée par la large diffusion des connaissances sociologiques serait possible et vivable. On voit bien que les oscillations et hésitations qu'il a pu manifester au cours de sa longue carrière sont le résultat des différentes réponses possibles apportées à cette question.

BIBLIOGRAPHIE

Avertissement : la bibliographie qui suit est divisée en trois parties : les livres écrits ou coécrits par Pierre Bourdieu, puis ses articles, classés par ordre chronologique, les livres et articles consacrés à son travail. Il ne s'agit pas ici d'une bibliographie exhaustive qui occuperait un volume entier. Qui souhaiterait consulter une bibliographie exhaustive, peut se référer à celle établie par Yvette Delsaut qui s'étend jusqu'en 1988. Plus pratique d'accès, on peut consulter le site « hyper-bourdieu » qui établit une bibliographie exhaustive des travaux de Bourdieu, constamment remise à jour, à l'adresse suivante :
http ://www. iwp. uni-linz. ac. at/lxe/sektktf/bb/HyperBourdieu.

LIVRES DE PIERRE BOURDIEU

Sociologie de l'Algérie, PUF, Paris, 1958.
Travail et travailleurs en Algérie (avec Alain Darbel, Jean-Paul Rivet, Claude Seibel), Mouton, Paris et La Haye, 1963.

Le déracinement. La crise de l'agriculture traditionnelle en Algérie (avec Abdelmalek Sayad), Paris, Les Éditions de Minuit, 1964.

Les étudiants et leurs études (avec Jean-Claude Passeron et Michel Éliard), Paris et La Haye, Mouton, 1964.

Les héritiers. Les étudiants et la culture (avec Jean-Claude Passeron, appendice statistique et note méthodologique par Alain Darbel), Paris, Les Éditions de Minuit, 1964.

Un art moyen. Essais sur les usages sociaux de la photographie (avec Luc Boltanski, Robert Castel, Jean-Claude Chamboredon, Gérard Lagneau, Dominique Schnapper ; sous la direction de Pierre Bourdieu), Paris, Les Éditions de Minuit, 1965.

Rapport pédagogique et communication (avec Jean-Claude Passeron, Monique de Saint Martin ; sous la codirection de Christian Baudelot et Guy Vincent), Paris et La Haye, Mouton, 1965.

L'amour de l'art. Les musées d'art et leur public (avec Alain Darbel, Dominique Schnapper), Paris, Les Éditions de Minuit, 1966.

Postface à Erwin Panofsky, *Architecture gothique et pensée scolastique. Précédé de L'abbé Suger de Saint-Denis*, Paris, Les Éditions de Minuit, 1967.

Le métier de sociologue. Préalables épistémologiques (avec Jean-Claude Chamboredon et Jean-Claude Passeron), Paris, Mouton et Bordas, 1968.

La reproduction. Éléments pour une théorie du système d'enseignement (avec Jean-Claude Passeron), Paris, Les Éditions de Minuit, 1970.

Esquisse d'une théorie de la pratique, précédé de *Trois études d'ethnologie kabyle*, Genève, Librairie Droz, 1972.

Algérie soixante. Structures économiques et structures temporelles, Paris, Les Éditions de Minuit, 1977.

La distinction. Critique sociale du jugement, Paris, Les Éditions de Minuit, 1979.

Le sens pratique, Paris, Les Éditions de Minuit, 1980.

Questions de sociologie, Paris, Les Éditions de Minuit, 1980.
Leçon sur la leçon, Paris, Les Éditions de Minuit, 1982.
Ce que parler veut dire. L'économie des échanges linguistiques, Paris, Librairie Arthème Fayard, 1982.
Homo academicus, Paris, Les Éditions de Minuit, 1984.
Propositions pour l'enseignement de l'avenir. Élaborées à la demande de M. le Président de la République par les professeurs du Collège du France, Paris, Collège de France, 1985.
Choses dites, Paris, Les Éditions de Minuit, 1987.
L'ontologie politique de Martin Heidegger, Paris, Les Éditions de Minuit, 1988.
La Noblesse d'État. Grandes écoles et esprit de corps, Paris, Les Éditions de Minuit, 1989.
Les liaisons dangereuses, histoire, sociologie, science politique (avec Roger Chartier), Paris, Presses de la Fondation nationale des sciences politiques, 1989.
Language and symbolic power, Cambridge, Polity Press, 1991.
Les règles de l'art. Genèse et structure du champ littéraire, Paris, Seuil, 1992.
Réponses. Pour une anthropologie réflexive (avec Loïc Wacquant), Paris, Seuil, 1992.
Academic Discourse. Linguistic misunderstanding and professional power (avec Jean-Claude Passeron, Monique de Saint Martin), Cambridge, Polity Press, 1992.
La Misère du monde (dir. Pierre Bourdieu, avec Alain Accardo) Paris, Seuil, 1993.
Raisons pratiques. Sur la théorie de l'action, Paris, Seuil, 1994.
Libre-Échange (avec Hans Haacke), Paris, Seuil, 1994.
Sur la télévision ; suivi de *L'emprise du journalisme*, Paris et Dijon-Quetigny, Éditions Liber, Seuil, 1996.
Les usages sociaux de la science, Paris, INRA, 1997.
Méditations pascaliennes. Éléments pour une philosophie négative, Paris, Seuil, 1997.

Quelques diagnostics et remèdes urgents pour une université en péril (ARESER), Paris, Seuil, Liber / Raisons d'agir, 1997.
Contre-feux. Propos pour servir à la résistance contre l'invasion néo-libérale, Paris, Seuil, Liber, 1998.
La domination masculine, Paris, Seuil / Raisons d'agir, 1998.
Les structures sociales de l'économie, Paris, Seuil, 2000.
Propos sur le champ politique, Lyon, Presses universitaires de Lyon, 2000.

ARTICLES DE PIERRE BOURDIEU

« Révolution dans la révolution », *Esprit* (Paris), pp. 27-40. 1961.
« Les musées et leurs publics », *L'expansion de la recherche scientifique* (Paris), 21, pp. 26-28, 1964.
« The Attitude of the Algerian Peasant toward Time », *in* Julian Alfred Pitt-Rivers (éd.), *Mediterranean Countrymen. Essays in the Social Anthropology of the Mediterranean*, Paris et La Haye, Mouton, pp. 55-72, 1964.
« The Sentiment of Honour in Kabyle Society », *in* John G. Peristiany (dir.), *Honour and Shame. The Values of Mediterranean Society*, Londres, Weidenfeld & Nicholson, pp. 191-241, 1965.
« Condition de classe et position de classe », *Archives européennes de sociologie* (Paris), 7,2, pp. 201-223, 1966.
« L'école conservatrice. Les inégalités devant l'école et devant la culture », *Revue française de sociologie* (Paris), 7, 3, pp. 325-347, 1966.
« Champ intellectuel et projet créateur », *Les temps modernes* (Paris), XXII, 246 (« Problèmes du structuralisme »), pp. 865-906, 1966.
« Systèmes d'enseignement et systèmes de pensée », *Revue internationale des sciences sociales* (Paris), 19, 3, pp. 367-388, 1967.

« La maison kabyle ou le monde renversé », *in* Jean Pouillon et Paul Maranda (dir.), *Échanges et communications. Mélanges offerts à Claude Lévi-Strauss à l'occasion de son 60e anniversaire*, Paris et La Haye, Mouton, pp. 739-758, 1970.

« L'excellence scolaire et les valeurs du système d'enseignement français » (avec Monique de Saint Martin), *Annales. Économies, sociétés, civilisations* (Paris), 25, 1, pp. 147-175, 1970.

« Champ du pouvoir, champ intellectuel et *habitus* de classe », *Scolies. Cahiers de recherches de l'École normale supérieure* (Paris), 1, pp. 7-26, 1971.

« Une interprétation de la théorie de la religion selon Max Weber », *Archives européennes de sociologie* (Paris), 12, 1, pp. 3-21, 1971.

« Genèse et structure du champ religieux », *Revue française de sociologie* (Paris), 12, 3, pp. 295-334, 1971.

« Le marché des biens symboliques », *L'année sociologique* (Paris), 22 (troisième série), pp. 49-126, 1971.

« Les stratégies matrimoniales dans le système de reproduction », *Annales. Économies, sociétés, civilisations* (Paris), 27, 4/5, pp. 1105-1127, 1972.

« Éléments pour une théorie de la production, de la circulation et de la consommation des biens symboliques », *Revue de l'institut de sociologie* (Bruxelles), 45, 4, pp. 751-760, 1972.

« Les stratégies de reconversion. Les classes sociales et le système d'enseignement » (avec Luc Boltanski, Monique de Saint Martin), *Information sur les sciences sociales* (Paris), 12, 5, pp. 61-113, 1973.

« Les fractions de la classe dominante et les modes d'appropriation des œuvres d'art », *Information sur les sciences sociales* (Paris), 13, 3, pp. 7-31, 1974.

« Is a Sociology of Action Possible ? » (avec Jean Daniel Reynaud), *in* Antony Giddens (éd.), *Positivism and Sociology*, Londres, Heineman, pp. 101 sq, 1974.

« La spécificité du champ scientifique et les conditions sociales du progrès de la raison », *Sociologie et sociétés* (Montréal), 7, 1, pp. 91-118, 1975.
« Méthode scientifique et hiérarchie sociale des objets », *Actes de la recherche en sciences sociales*, 1, pp. 4-6, 1975.
« Le couturier et sa griffe. Contribution à une théorie de la magie » (avec Yvette Delsaut), *Actes de la recherche en sciences sociales*, 1, pp. 7-36, 1975.
« (Flaubert ou) L'invention de la vie d'artiste », *Actes de la recherche en sciences sociales*, 2, pp. 67-93, 1975.
« Le titre et le poste. Rapports entre le système de production et le système de reproduction » (avec Luc Boltanski), *Actes de la recherche en sciences sociales*, 2, pp. 95-107, 1975.
« Les catégories de l'entendement professoral » (avec Monique de Saint Martin), *Actes de la recherche en sciences sociales*, 3, pp. 68-93, 1975.
« L'ontologie politique de Martin Heidegger », *Actes de la recherche en sciences sociales*, 5/6, pp. 109-156, 1975.
« La lecture de Marx. Quelques remarques critiques à propos de "Quelques remarques critiques à propos de *Lire Le Capital*" », *Actes de la recherche en sciences sociales*, 5/6, pp. 65-79, 1975.
« Le sens pratique », *Actes de la recherche en sciences sociales*, 1, pp. 43-86, 1976.
« La production de l'idéologie dominante » (avec Luc Boltanski), *Actes de la recherche en sciences sociales*, 2-3, pp. 4-73, 1976.
« Les modes de domination », *Actes de la recherche en sciences sociales*, 2-3, pp. 122-132, 1976.
« Les conditions sociales de la production sociologique. Sociologie coloniale et décolonisation de la sociologie » (« Ethnologie et politique au Maghreb », Paris, 5 juin 1975), *in* H. Moniot (dir.), *Le mal de voir. Ethnologie et orientalisme, politique et épistémologie, critique et auto-*

critique. Contributions aux colloques, Paris, Union Générale d'Éditions (coll, 10/18 ; *Cahiers Jussieu*, 2), pp. 416-427, 1976.
« Anatomie du goût » (avec Monique de Saint Martin), *Actes de la recherche en sciences sociales*, 5, pp. 5-81, 1976.
« La production de la croyance. Contribution à une économie des biens symboliques », *Actes de la recherche en sciences sociales*, 13, pp. 3-43, 1977.
« Sur le pouvoir symbolique », *Annales. Économies, sociétés, civilisations* (Paris), 32, 3, pp. 405-411, 1977.
« L'économie des échanges linguistiques », *Langue française* (Paris), 34, pp. 17-34, 1977.
« Le patronat » (avec Monique de Saint Martin), *Actes de la recherche en sciences sociales*, 20/21, pp. 3-82, 1978.
« Sur l'objectivation participante. Réponses à quelques objections », *Actes de la recherche en sciences sociales*, 23, pp. 67-69, 1978.
« Titres et quartiers de noblesse culturelle. Éléments d'une critique sociale du jugement esthétique » (avec Monique de Saint Martin), *Ethnologie française*, 8, 2/3, pp. 107-144, 1978.
« Classement, déclassement, reclassement », *Actes de la recherche en sciences sociales*, 24, pp. 2-22, 1978.
« Savoir ce que parler veut dire », *Le français aujourd'hui* (Paris), 41, pp. 4-20, 1978.
« Pratiques sportives et pratiques sociales », *Actes du VIIe Congrès international*, Paris, Institut national supérieur d'éducation permanente, I, pp. 17-37, 1978.
« Le racisme de l'intelligence », *Cahiers Droit et liberté* (Paris), 382, pp. 67-71, 1978.
« Grandes écoles et grands corps », *Actes de la recherche en sciences sociales*, 20/21, 1978.
« Classes d'âge et classes sociales », *Actes de la recherche en sciences sociales*, 26/27, p. 2, 1979.
« Les trois états du capital culturel », *Actes de la recherche en sciences sociales*, 30, pp. 3-6, 1979.

« La représentation politique. Éléments pour une théorie du champ politique », *Actes de la recherche en sciences sociales*, 36/37, pp. 3-24, 1981.

« Épreuve scolaire et consécration sociale. Les classes préparatoires aux grandes écoles », *Actes de la recherche en sciences sociales*, 39, pp. 3-70, 1981.

« Lecture, lecteurs, lettrés, littérature » *Recherches sur la philosophie et le langage*, Cahier 1, Grenoble, université des sciences sociales et Paris, pp. 5-16, 1981.

« Structures, Strategies and the *Habitus* », Charles C. Lemert (dir.), *French Sociology. Rupture and Renewal since 1968*, New York, Columbia University Press, pp. 86-96, 1981.

« La sainte famille. L'épiscopat français dans le champ du pouvoir » (avec Monique de Saint Martin), *Actes de la recherche en sciences sociales*, 44/45, pp. 2-53, pp. 110-111, 1981.

« N'ayez pas peur de Max Weber », *Libération* (Paris), 6 juillet 1982, p. 25.

« Erving Goffman est mort », *Libération* (Paris), 2 décembre 1982, p. 23.

« Goffman, le découvreur de l'infiniment petit », *Le Monde* (Paris), 4 décembre 1982, p. 1 et p. 30.

« Les rites comme actes d'institution », *in* Paul Centlivres et Jacques Hainard (dir.), *Les rites de passage aujourd'hui*, Lausanne 1986, Éditions L'Age d'Homme, pp. 206-215, 1983.

« Vous avez dit populaire ? », *Actes de la recherche en sciences sociales*, 46, pp. 98-105, 1983.

« Les sciences sociales et la philosophie », *Actes de la recherche en sciences sociales*, 47/48, pp. 45-52, 1983.

« Espace social et genèse des "classes" », *Actes de la recherche en sciences sociales*, 52/53, pp. 3-15, 1984.

« La délégation et le fétichisme politique », *Actes de la recherche en sciences sociales*, 52/53, pp. 49-55, 1984.

« Le hit-parade des intellectuels français, ou qui sera juge

de la légitimité des juges ? », *Actes de la recherche en sciences sociales*, 52/53, pp. 95-100, 1984.
« Programme pour une sociologie du sport », *Sports et sociétés contemporaines* (Paris), Société française de sociologie du sport, pp. 323-331, 1984.
« Réponse aux économistes », *Économies et sociétés* (Grenoble), 18, 10, pp. 23-32, 1984.
« Remarques à propos de la valeur scientifique et des effets politiques des enquêtes d'opinion », *Pouvoirs. Revue française d'études constitutionnelles et politiques* (Paris), 33, pp. 131-139, 1985.
« Effet de champ et effet de corps », *Actes de la recherche en sciences sociales*, 59, p. 73, 1985.
« Les intellectuels et les pouvoirs », in *Michel Foucault. Une histoire de la vérité*, Paris, Syros, pp. 93-94, 1985.
« Le champ religieux dans le champ de production symbolique », in *Les nouveaux clercs. Prêtres, pasteurs et spécialistes des relations humaines et de la santé*, Genève, Labor et fides, pp. 255-261, 1985.
« Les professeurs de l'Université de Paris à la veille de Mai 68 », *in* Christophe Charle et Régine Ferré (dir.), *Le personnel de l'enseignement supérieur en France aux* XIX*e et* XX*e siècles*, Paris, Éditions du Centre national de la recherche scientifique, pp. 177-184, 1985.
« La lecture, comprendre les pratiques culturelles », *in* Roger Chartier et Alain Paire (dir.), *Pratiques de la lecture*, Rivages, pp. 218-239, 1985.
« De la règle aux stratégies », in *Terrains. Carnets du patrimoine ethnologique* (Paris, ministère de la Culture et de la Communication), 4, pp. 93-100, 1985.
« Du bon usage de l'ethnologie », *Awal. Cahiers d'études berbères* (Paris, Éd. Maison des sciences de l'homme), 1, pp. 7-29, 1985.
« Dialogue à propos de l'histoire culturelle », *Actes de la recherche en sciences sociales*, 59, pp. 86-93, 1985.

« La science et l'actualité », *Actes de la recherche en sciences sociales*, 61, pp. 2-3, 1986.
« L'illusion biographique », *Actes de la Recherche en sciences sociales*, 62/63, pp. 69-72, 1986.
« La force du droit. Élements pour une sociologie du champ juridique », *Actes de la recherche en sciences sociales*, 64, pp. 5-19, 1986.
« *Habitus*, code et codification », *Actes de la recherche en sciences sociales*, 64, pp. 40-44, 1986.
« D'abord défendre les intellectuels », *Le Nouvel Observateur* (Paris), 12, p. 82, 1986.
« Agrégation et ségrégation. Le champ des grandes écoles et le champ du pouvoir » (avec Monique de Saint Martin), *Actes de la recherche en sciences sociales*, 69, pp. 2-50, 1987.
« Variations et invariants. Éléments pour une histoire structurale du champ des grandes écoles », *Actes de la recherche en sciences sociales*, 70, pp. 3-30, 1987.
« Sociologues de la croyance et croyance de sociologues », *Archives de sciences sociales des religions* (Paris), 63, 1, pp, 155-161, 1987.
« What makes a Social Class ? On the Theoretical and Practical Existence of Groups », *Berkeley Journal of Sociology* (Berkeley), 32, pp. 1-17, 1987.
« Legitimation and Structured Interests in Weber's Sociology of Religion », Sam Whimster et Scott Lash (dir.), *Max Weber. Rationality and Modernity*, Londres, 1987, Allen, pp. 119-136, 1987.
« Penser la politique », *Actes de la recherche en sciences sociales*, 71/72, pp. 2-3, 1988.
« Derrida-Bourdieu. Débat », *Libération* (Paris), 29 mars 1988.
« L'opinion publique » (avec Patrick Champagne), *in* Youri Afanassiev, M. Ferro (dir.), *50 idées qui ébranlent le monde. Dictionnaire de la glasnost*, Paris, Éditions Payot, 1989.

« Reproduction interdite. La dimension symbolique de la domination économique », *Études rurales* (Paris), 113/114, pp. 15-36, 1989.
« Genèse historique d'une esthétique pure », *Les Cahiers du Musée national d'art moderne* (Paris), 27, pp. 94-106, 1989.
« From the Sociology of Academics to the Sociology of the Sociological Eye », *Social Theory* (Cambridge), 7, 1, pp. 32-55, 1989.
« Le pouvoir n'est plus rue d'Ulm mais à l'ENA » (entretien avec Didier Éribon), *Le Nouvel Observateur* (Paris), 9-15 mars, pp. 80-82, 1989.
« Gens à histoires, gens sans histoires » (entretien avec Roger Chartier), *Politix* (Paris), 6, pp. 53-60, 1989.
« For a Socio-Analysis of Intellectuals, On *Homo Academicus* » (entretien avec Loïc Wacquant), *Berkeley Journal of Sociology* (Berkeley.), 34, pp. 1-29, 1989.
« Un signe des temps », *Actes de la recherche en sciences sociales*, 81/82, pp. 2-5, 1990.
« Un placement de père de famille. La maison individuelle, spécificité du produit et logique du champ de production » (avec Salah Bouhedja, Rosine Christ, Claire Givry), *Actes de la recherche en sciences sociales*, 81/82, pp. 6-33, 1990.
« Un contrat sous contrainte » (avec Salah Bouhedja, Claire Givry), *Actes de la recherche en sciences sociales*, 81/82, pp. 34-51, 1990.
« Le sens de la propriété. La genèse sociale des systèmes de préférences » (avec Monique de Saint Martin), *Actes de la recherche en sciences sociales*, 81/82, pp. 52-64, 1990.
« La construction du marché. Le champ administratif et la production de la politique du logement » (avec Rosine Christin), *Actes de la recherche en sciences sociales*, 81/82, pp. 65-85, 1990.
« La domination masculine », *Actes de la recherche en sciences sociales*, 84, pp. 2-31, 1990.

« La construction sociale du sexe », *Cahiers de groupe de recherches sur la philosophie et le langage* (Grenoble, université de Grenoble 2, publié par la Librairie philosophique VR, Paris), 12, pp. 25-49, 1990.
« Adresse au gouvernement français » (avec Gilles Deleuze, Jérôme Lindon et Pierre Vidal-Naquet), *Libération* (Paris), 5 septembre 1990, p. 6.
« Pour une télévision publique sans publicité » (avec Ange Casta, Max Gallo, Claude Marti, Jean Mart, Christian Pierret), *Le Monde* (Paris), 30 avril 1990.
« Animadversiones in Mertonem », *in* Jon Clark, Celia Modgil et Sohan Modgil (dir.), *Robert K. Merton. Consensus and controversy*, Bristol & London, Falmer Press, pp. 297-302, 1990.
« Time perspectives of the Kabyle », *in* John Hassard (dir.), *The Sociology of Time*, New York, St. Martin's Press, 1990.
« Pierre Bourdieu. The Intellectual Project », *in* Richard Harker, Cheleen Mahar, Chris Wilkes (dir.), *An Introduction to the Work of Pierre Bourdieu. The Practice of Theory*, Londres, The Macmillan Press, pp. 26-57, 1990.
« Le champ littéraire », *Actes de la recherche en sciences sociales*, 89, pp. 3-46, 1991.
« Introduction à la socioanalyse », *Actes de la recherche en sciences sociales*, 90, pp. 3-5, 1991.
« Les juristes, gardiens de l'hypocrisie collective », *in* François Chazel et Jacques Commaille (dir.), *Normes juridiques et régulation sociale*, Paris, Librairie générale de droit et de jurisprudence, 1991.
« Contre la guerre » (avec E. Balibar, T. Ben-Jelloun, S. Breton, M. Harbi, A. Larbi, E. Terray, K. Titous), *Libération* (Paris), 21 février 1991, p. 13.
« L'ordre des choses. Entretien avec des jeunes gens du nord de la France », *Actes de la recherche en sciences sociales*, 90, pp. 7-19, 1991.
« Une vie perdue. Entretien avec deux agriculteurs béar-

nais », *Actes de la recherche en sciences sociales*, 90, pp. 29-36, 1991.
« Une mission impossible. Entretien avec Pascale Raymond, chef de projet dans le nord de la France », *Actes de la recherche en sciences sociales*, 90, pp. 84-94, 1991.
« Les exclus de l'intérieur », (avec Patrick Champagne), *Actes de la recherche en sciences sociales*, 91/92, pp. 71-75, 1992.
« Deux impérialismes de l'universel », *in* Christine Fauré et Tom Bishop (dir.), *L'Amérique du Français*, Paris, Éd. François Bourin, pp. 149-155, 1992.
« Proofreading. Four Lectures by Pierre Bourdieu », *Poetics Today* (Durham et Tel Aviv), 12, 4, pp. 625-669, 1992.
« Thinking about Culture Theory », *Culture and Society* (Londres), 9, 1, p. 37-49, 1992.
« "Il n'y a pas de démocratie effective sans vrai contre-pouvoir critique." Entretien avec Pierre Bourdieu » (entretien avec Roger-Pol Droit et Thomas Ferenczi), *Le Monde* (Paris), 14 janvier 1992.
« Le sociologue et la philosophie » (entretien avec Pascale Casanova), *La Quinzaine littéraire* (Paris), 593, janvier 1992, pp. 5-7.
« Tout est social » (entretien avec Pierre-Marc de Biasi sur *Les Règles de l'art. Genèse et structure du champ littéraire*), *Magazine littéraire* (Paris), 303, 1er septembre 1992, pp. 104-111.
« Esprits d'État. Genèse et structure du champ bureaucratique », *Actes de la recherche en sciences sociales*, 96/97, pp. 49-62, 1993.
« À propos de la famille comme catégorie réalisée », *Actes de la recherche en sciences sociales*, 100, pp. 32-36, 1993.
« Concluding Remarks, Sociogenetic Understanding and Intellectual works », *in* Craig Jackson Calhoun, Edward LiPuma, Moishe Postone (dir.), *Bourdieu. Critical Perspectives*, Oxford, University Press, pp. 263-274, 1993.

« Structures, *Habitus*, Power. Basis for a Theory of Symbolic Power », *in* Nicholas B. Dirks, Geoff Eley, Sherry B. Ortner (dir.), *Culture/Power/History, A Reader in Contemporary Social Theory*, Princeton, Princeton University Press, pp. 155-199, 1993.

« Il faudrait réinventer une sorte d'intellectuel collectif sur le modèle de ce qu'ont été les Encyclopédistes » (interview avec Frank Nouchi), *Le Monde*, 7 décembre 1993, p. 2.

« L'emprise du journalisme », *Actes de la recherche en sciences sociales*, 101/102, pp. 3-9, 1994.

« Les jeux Olympiques. Programme pour une analyse », *Actes de la recherche en sciences sociales*, 103, pp. 102-103, 1994.

« Stratégies de reproduction et modes de domination », *Actes de la recherche en sciences sociales*, 105, pp. 3-12, 1994.

« Piété religieuse et dévotion artistique. Fidèles et amateurs d'art à Santa Maria Novella », *Actes de la recherche en sciences sociales*, 105, pp. 71-74, 1994.

« Algérie, pour que cesse l'horreur », *Le Nouvel Observateur* (Paris), 24 mars 1994, p. 33.

« L'économie des biens symboliques » (cours du Collège de France à la faculté d'anthropologie et de sociologie de l'université Lumière Lyon 2, 3/4 février 1994, *Cahiers du Groupe de recherche sur la socialisation*, 13, Lyon, Université Lumière Lyon 2, 1994.

« Vieilles questions et mesures urgentes pour l'Université » (avec Christophe Charle), *Le Monde* (Paris), 3 novembre 1994.

« Avec les intellectuels algériens » (avec Jean Leca), *Le Monde* (Paris), 7 octobre 1994.

« Rethinking the State, Genesis and Structure of the Bureaucratic Field », *Sociological Theory* (Cambridge), 12, 1, pp. 1-18, 1994.

« La cause de la science. Comment l'histoire sociale des sciences sociales peut servir le progès de ces sciences »,

Actes de la recherche en sciences sociales, 106/107, pp. 3-10, 1995.

« Sollers “tel quel” », *Libération* (Paris), 27 janvier 1995.

« L'État et la concentration du capital symbolique », *in* Bruno Théret (dir.), *L'État, la finance et le social. Souveraineté nationale et construction européenne*, Paris, La Découverte, pp. 73-105, 1995.

« Il ne faisait jamais le philosophe », *Les Inrockuptibles* (Paris), 25-27 septembre 1995, p. 12.

« M. Pasqua, son conseiller et les étrangers » (avec Jacques Derrida), *Le Monde* (Paris), 10 janvier 1995.

« La misère des médias » (entretien avec François Granon), *Télérama* (Paris), 15 février 1995, pp. 8-12, 1995.

« Des familles sans nom », *Actes de la recherche en sciences sociales*, 11, pp. 3-5, 1996.

« La double vérité du travail », *Actes de la Recherche en sciences sociales*, 114, pp. 89-90, 1996.

« Analyse d'un passage à l'antenne. La télévision peut-elle critiquer la télévision ? », *Le Monde diplomatique* (Paris), 12 avril 1996, p. 25.

« Pour une reconnaissance légale du couple homosexuel » (avec Jacques Derrida, Didier Éribon, Michelle Perrot, Paul Veyne, Pierre Vidal-Naquet), *Le Monde* (Paris), 1er mars 1996.

« De la maison du roi à la raison d'État. Un modèle de la genèse du champ bureaucratique », *Actes de la recherche en sciences sociales*, 119, pp. 55-68, 1997.

« Le champ économique », *Actes de la recherche en sciences sociales*, 119, pp. 48-66, 1997.

« Le marché comme mythe savant », *Actes de la recherche en sciences sociales*, 119, p. 50, 1997.

« L'anthropologie imaginaire de la *rational action theory* », *Actes de la recherche en sciences sociales*, 119, p. 64, 1997.

« L'architecte de l'euro passe aux aveux. Innocentes confi-

dences d'un maître de la monnaie », *Le Monde diplomatique* (Paris), septembre 1997, p. 19.
« Que faire ? Entretien sur la loi Debré » (entretien entre Pierre Bourdieu et Arnaud Desplechin), *Les Inrockuptibles* (Paris), 93, février 1997, p. 17, 1997.
Joyeux Bordel. Un dossier de 50 pages coordonné par Pierre Bourdieu, rédacteur en chef invité, *Les Inrockuptibles* (Paris), 178, 1998.
« Sur les ruses de la raison impérialiste » (avec Loïc Wacquant), *Actes de la recherche en sciences sociales*, 121/122, pp. 109-118, 1998.
« Contre le fléau néo-libéral , *Le Temps*, 11 mars 1998.
« De la domination masculine. La lutte féministe au cœur des combats politiques », *Le Monde diplomatique* (Paris), 14 août 1998, p. 24.
« Questions sur un quiproquo », *Le Monde diplomatique* (Paris), février 1998, p. 26.
« L'essence du néolibéralisme. Cette utopie, en voie de réalisation, d'une exploitation sans limite », *Le Monde diplomatique* (Paris), 13 mars 1998, p. 3.
« Pour une gauche de gauche » (avec Christophe Charle, Bernard Lacroix, Frédéric Lebaron, Gérard Mauger), *Le Monde* (Paris), 8 avril 1998, p. 13.
« Les actions des chômeurs flambent » (avec Frédéric Lebaron et Gérard Mauger), *Le Monde*, 17 janvier 1998.
« Une destruction méthodique des collectifs », *Manière de voir* (Paris) 42, 13, novembre 1998, pp. 66-69.
« La précarité est aujourd'hui partout », *Les Inrockuptibles* (Paris), 145 avril 1998, pp. 14.
« Irresponsable », *Les Inrockuptibles* (Paris), 178, décembre 1998, p. 3.
« Reasoned Utopia and Economic Fatalism. Against Economism », *New left Review* (Londres), 227, 1er janvier 1998, pp. 125-130.
« Discussion avec Pierre Bourdieu », in *Dynamique de la sociologie, autour de Pierre Bourdieu*, Cahiers du GRIS

(Groupe de Recherche Innovations et Sociétés), 4 septembre 1998, université de Rouen, département de sociologie, pp. 5-28.
« Bourdieu répond à Cohn-Bendit », *Libération* (Paris), 12 janvier 1999.
« Une révolution conservatrice dans l'édition », *Actes de la recherche en sciences sociales*, pp. 3-27, 1999.
« Pour un mouvement social européen », *Le Monde diplomatique* (Paris), juin 1999, pp. 16-17.
« "Bourdieu bouscule 70 patrons des médias" », (avec Édouard Launet), *Libération* (Paris), 13 octobre 1999, pp. 36-37.
« The Social Conditions of the International Circulation of Ideas », *in* Richard Shusterman (dir.), *Bourdieu ; a critical reader*, Oxford, Blackwell, pp. 220-228.

LIVRES ET ARTICLES SUR PIERRE BOURDIEU

A. ACCARDO et P. CORCUFF, *La sociologie de Bourdieu, textes choisis et commentés*, Le Mascaret, 1989.
J. ALEXANDER, *Fin de siècle Social Theory : Relativism, Reduction and the Problem of Reason,* New York, Verso, 1995.
J. ALEXANDER, *La Réduction. Critique de Bourdieu*, Paris, Cerf, 2000.
A. CAILLÉ, « Les sciences économiques au cœur des sciences sociales », *in* Richard Swedberg, *Histoire de la sociologie économique*, Paris, Desclée de Brouwer, pp 7-23, 1994.
A. CAILLÉ, « Ce que donner veut dire. Don et intérêt », *Revue du Mauss*, nº 1, Paris, Éditions La Découverte, 1993.
A. CAILLÉ, *Don, intérêt et désintéressement. Bourdieu, Mauss, Platon et quelques autres*, Paris, La Découverte, 1994.
C. CALHOUN *et al.* (dir.), *Bourdieu, critical perspectives*, Oxford, Polity Press, 1991.

F. DOSSE (dir.), L'empire du sens. L'humanisation des sciences sociales, Paris, La Découverte, 1995.

F. HÉRAN, « La seconde nature de l'*habitus* ; tradition philosophique et sens commun dans le langage sociologique », *Revue française de sociologie*, 28, 3, pp. 385-416, 1987.

B. LAHIRE, *Culture écrite et inégalité scolaire. Sociologie de l'« échec scolaire » à l'école primaire*, Lyon, PUL, 1993.

B. LAHIRE (dir.), *Le travail sociologique de Pierre Bourdieu*, Paris, La Découverte, 2000.

A. MARY, « Le corps, la maison, le marché et les jeux. Paradigmes et métaphores dans le "bricolage" de la notion d'*habitus* », *Lectures de Pierre Bourdieu*, *Cahiers du LASA*, 8-9, 1992.

L. Pinto, *Pierre Bourdieu et la théorie du monde social*, Paris, Albin Michel, 1998.

A. PROST, « Une sociologie stérile ; *La reproduction* », *Esprit,* 12, p. 851-860, 1970.

G. RIST, « La notion médiévale d'*habitus* dans la sociologie de Pierre Bourdieu », *Revue européenne des sciences sociales,* 22, 67, pp. 201-212, 1984.

R. SHUSTERMAN (éd.), *Bourdieu. A Critical Reader*, Oxford, Blackwell, 1999.

J. VERDÈS-LEROUX, *Le Savant et la politique*, Paris, Grasset, 1998.

Loïc WACQUANT, « Notes tardives sur le "marxisme" de Bourdieu », *Actuel Marx*, 20 octobre 1996.

TABLE DES MATIÈRES

INTRODUCTION 7

I. PRÉSENTATION DE L'ŒUVRE 19

1. DE L'*HABITUS* AUX CHAMPS : UNE SOCIOLOGIE DE LA DOMINATION 21
Raisons pratiques : la rupture anthropologique. 22
L'histoire incorporée : l'*habitus* 39
La division sociale du travail : les champs...... 53
Sociologie de la domination : capital et légitimité 74

2. *LA DISTINCTION* OU LA « TROISIÈME CRITIQUE » BOURDIEUSIENNE 103
Origines sociales et goûts culturels 104
Pratiques culturelles et classes sociales 110
Des goûts distincts et distinctifs 117
Les classes moyennes ou la dispersion des goûts 122

Culture et politique : les chemins de traverse de la domination 128

3. L'ÉCOLE OU LA LÉGITIMATION DE LA REPRODUCTION 133
La crise de l'enseignement 134
Communication pédagogique et violence symbolique 140
Le professeur en chaire ou le savoir comme sacré 141
Un rapport mystifié aux études 145
Production et reproduction de la noblesse d'État 147
Autonomie du champ et cycles de légitimation. 155

4. UNE SOCIOLOGIE RÉFLEXIVE 161
Homo academicus : une sociologie du champ intellectuel 163
Critique de la raison scolastique 170
Conclusion : la tentation philosophique 181

II. DÉBATS ET CONTROVERSES 183

5. REGARDS CRITIQUES 185
Individu et classes sociales : un couple épistémologique 186
Bourdieu est-il marxiste ? 193
De l'utilitarisme en sociologie 200
Unité et pluralité de la vie sociale 206

6. LE SOCIOLOGUE DANS LA CITÉ 215
1991 : l'invention de l'intellectuel collectif 221
1993, *La Misère du monde* : paroles de dominés 225
1995 : décembre rouge 231

1996 : Bourdieu et le journalisme 242
1998 : le fléau néo-libéral : quelle sociologie de l'État ?.. 250

CONCLUSION 257

BIBLIOGRAPHIE.. 263

Imprimé en France sur Presse Offset par

BRODARD & TAUPIN

GROUPE CPI

6185 – La Flèche (Sarthe), le 14-02-2001
Dépôt légal : février 2001

POCKET – 12, avenue d'Italie - 75627 Paris cedex 13
Tél. : 01.44.16.05.00